U0110339

10 隋代～唐代
西元617～906年
[注音本]

全新 吳姐姐講歷史故事

吳涵碧◎著

目錄

【第222篇】

隋煬帝對鏡興嘆。

隋煬帝不顧衆人的反對，終於在大業十二年第三次遊幸江都。皇帝駕到，江淮地區的郡官自然紛紛求見。煬帝不問地方民情，專門打聽朝見者送的禮物。禮物送得豐厚者，超越階層任命爲郡丞郡守；禮物送得寒酸者，多半停職，甚且解職。有一個江都郡丞名叫王世充，獻上珍貴的銅鏡、屏風，立刻被升爲江都通守；另外歷陽人趙元楷獻上美味，改任爲江都郡丞。

既然煬帝有這個喜好，地方官吏為求討好巴結，更加刻暴的剝削百姓。可憐的廣大人民，外為盜賊所搶掠，內為郡縣父母官所壓榨，實在活不下去了。

前面說過，煬帝不肯面對現實，最討厭人家提到有關盜賊之事。內史侍郎虞世基抓住皇帝這種不正常的心理，把一切將領及郡縣官吏報上來有關盜賊作亂，請求朝廷派兵支援的消息，或者壓下，或者把軍報大幅度的刪減，使得煬帝看不出事態的嚴重。虞世基還上了一個奏章道：『鼠竊狗盜之輩，經過郡縣的全力緝捕追逐，馬上就要完全消滅了，願陛下勿因此而耿耿於懷。』

煬帝看了，大為高興，以後誰再稟報盜賊嚴重，立刻會被挨上一頓揍。

盜賊有皇帝撐腰，益發猖獗，甚且佔據了郡縣，這些情形，煬帝一概不知。

後來，有一位大將楊義臣十分英勇，打敗了盤據河北數十萬的盜賊，他上了一個奏章給朝廷，一條一條詳列經過情形。『我以前沒聽說過有盜賊，怎麼一會兒工夫，這許多的地方官全都降賊？』煬帝好生奇怪。

虞世基說：『小竊雖然多，不值得憂慮。倒是楊義臣把賊兵打敗了，他平白多添了這麼許多士兵，又遠在國都之外，對朝廷而言，恐怕不是一件好事。』

煬帝不追問怎麼平白冒出許多盜賊之事，也不徹查虞世基欺上瞞下之事，聽了虞世基的挑撥以後，竟然下命令叫楊義臣把捉來的盜賊給放了，讓他們回去重幹偷雞摸狗的勾當。爲的是惟恐楊義臣力量太大。如此昏庸，怎不使得天下離心？

盜賊一天比一天多，官吏一天比一天抽稅抽得兇狠，再加上碰到荒年，人民餓得沒有東西可以吃。開始的時候，剝樹皮、煮稻草、燒泥土果腹；到了後來，連這些東西都吃光了，只有互食人肉，慘不忍睹。

而這個時候，煬帝正在盡情的享受，他在皇宮裡面佈置了一百多個房間，每天命令一個美人值日。善於逢迎的王世充，在江南搜尋佳麗，送到宮中讓煬帝享用。

趙文楷因爲獻上美味被任命爲江都郡丞，既然他擅長於此，煬帝特別派他掌供酒饌，管理宮中膳食之事。煬帝是一個老饕，貪吃得厲害，如今享盡人間山珍海味，不亦快哉！杯酒不離口，不但他本人喝得酩酊大醉，與他同遊的姬妾亦一個一個醉得東倒西歪。

表面上，煬帝吃喝、玩樂十分愜意，然而內心深處，聰明的煬帝當然知道事態一天比一天嚴重。自從楊玄感之亂以後，杜伏威、竇建德、徐圓朗、劉武周、李密、李淵、李軌、蕭銑等在各地起兵，全國大亂！（關於隋末起兵的群雄故事，以後會一個一個詳細的介紹。）

煬帝在下了朝以後，常常脫下皇冠龍袍，學著漢末王公的風雅模樣，用一條縑巾把頭髮綰起，換上短衣，拄著拐杖，一個人慢慢散步，留戀在各個臺榭和館閣之間，不忍離去。

他張大著眼睛死命的看著各處景物，一邊努力的深呼吸，走遠了，又回過頭，對著亭臺樓閣再做一遍巡視，直到夜闌人靜，才依依不捨的回宮。那個情景，彷彿這一秒鐘不多看一眼，下一秒鐘他就永遠不能再看到眼前的景物了。

不久，煬帝迷上了占候卜相，常常半夜裡，燙了一壺酒，對著天上星斗，自己爲自己算命。

他仰著頭，對蕭皇后道：『外面很多人都想要朕的皇位，然而朕不失爲長城公，卿不失爲沈后。來，咱們共飲一盃吧！』

這句話的意思是說：即使我的皇帝寶座被人搶走，我還可以像陳叔寶一般，亡國以後，仍然做一個快樂逍遙的長城公；你呢？也可以像陳叔寶的沈后一般，兩人都可共享富貴。

回到後宮以後，煬帝又想陳叔寶其笨如牛，所以煬帝的父親文帝，才會對他十分寬厚。今天，煬帝的敵手恐怕不會如此，況且煬帝所造的孽委實太多了。

因此，他對著鏡子，摸著腦袋嘆息道：『好頭頸，誰來砍？』

蕭后聽了大吃一驚！忙問：『陛下何以說出如此不吉利的話呢？』

煬帝哈哈大笑：『人生的貴賤苦樂，互相更迭交換，說上一說，卻又何妨？』

這句話，表示煬帝自知已走上窮途末路了。煬帝的好腦袋眞的會被人砍掉嗎？

閱讀心得

【第223篇】隋煬帝之死。

隋煬帝的殘暴，引起了全國民衆的不滿，紛紛揭竿起義。煬帝卻在這個關頭，逃避現實躲到江都去盡情享受。然而，在內心深處，煬帝也知道大事不妙，所以時常對著鏡子，摸著腦袋嘆道：『好頭頸，誰來砍？』

此時中原鼎沸，煬帝也無心北歸了。他想把京城搬到丹陽，保住江東，以求偏安。於是，命令臣子們在朝廷之中各陳己見。

最會拍馬屁的虞世基第一個贊成，但是也有那忠心保國的右候衛大將軍李才表示反對。虞世基和李才兩個人，就在大殿之上爭吵了起來。李才說：『請陛下車駕立刻返回長安。』然後，氣憤的離開大殿。

另外，門下錄事李桐客也認爲江南不適合建都：江東地勢低，濕氣太重，土地險惡又狹小。人民內要侍奉萬歲，外要補給三軍的糧草，實在苦不堪言。這樣子下去，終究是要叛亂的。

李桐客說的是實在話，不料，竟然因此被御史彈劾，罪名是誹謗朝廷。

其他公卿看著都心裡發毛，沒有人敢再提出任何反對的意見，而且還編出許多好笑的理由贊同此事：『江東人民，盼望陛下已久，陛下能夠在此地安撫治理，簡直和治水的大禹會合諸侯於會稽一般偉大。』

然而，此時江都的糧食已經快要吃光了。隨從煬帝到江都的驍果（驍

果乃英勇的武士），多半是關中人，久客外地，十分思念家鄉。眼看著煬帝正在大興土木，建築丹陽宮，可見得煬帝沒有北歸的打算，只好紛紛逃亡。郎將竇賢率領所屬的士兵西走之時，被煬帝及時發現，派人追回，斬首示眾。雖然驍果們知道逃亡如不成功，一定會要殺頭，可是仍然不斷有人開溜。

虎賁郎將司馬德戡，向來是煬帝最爲寵信的愛將，他向部將元禮及裴虔通訴苦說：『今天的驍果，沒有一個不想逃亡的，我如據實稟報皇帝，皇上一定會大發脾氣，第一個就先把我斬了洩忿。我如果不說，等到事情鬧到不可收拾的地步，我還是不免會遭到滅族的命運，我該怎麼辦呢？又聽說關中已經淪陷覆沒了，李孝常據華陰地方叛變，皇上已把他的兩個弟弟鬧了起來準備殺掉。我們的家小都在關中，能夠不顧慮嗎？』

兩個部將聽了都很恐慌：『那麼，咱們究該如何是好呢？』

司馬德戡道：『既然驍果都想要逃亡，我等不如也跟了去。』

不久，司馬德戡召集了虎牙郎將趙行樞、鷹揚郎將孟秉等人商量同謀，將作少監宇文智及（宇文述之子）反對逃亡，主張叛變，於是，司馬德戡等人改變計畫，他們日夜在大庭廣衆之間，公開討論叛變的計畫，毫無一絲忌諱。

有一個宮人聽到他們的談論，對蕭后說：『現在外面人人想要造反。』

蕭后說：『任你奏明皇上。』

可是，當宮人一告訴煬帝，煬帝大發脾氣：『這些混帳話豈是你能夠說的？』便把宮人給斬了。

後來，又有一位宮人告訴蕭后，外邊有人想要陰謀叛變。蕭后不想再讓這位宮人送死，長嘆一口氣道：『天下事已到了這種地步，無可挽救了，何必再去告訴皇上，徒然增加皇上的憂慮。』從此，沒有人再提起此事。

此時，司馬德戡說動了宇文智及的哥哥右屯衛將軍宇文化及爲首領，並且對所屬的驍果們說：『陛下聽說驍果準備叛變，釀製了許多毒酒，要在宴會中分給大家吃。』驍果們聽了都很害怕，加強了叛變的決心。

於是，某天晚上三更之時，司馬德戡在東城調集兵馬數萬人。煬帝在宮中看到外面一片大火，不時有喧嘩叫囂之傳聲來。忙問：『怎麼回事？』

在宮中當內應的裴虔通道：『沒有什麼，儲草的草坊失火了，大家都在忙著救火。』煬帝信以爲眞。

這時，煬帝的守衛不是被司馬德戡買通，就是被他假造命令，差遣了出去，所以叛軍毫不費力的就進入了內宮。

煬帝發覺有變，立刻準備喬裝溜到西閣，校尉令狐行達拔刀直進逼迫，煬帝下閣問：『你要殺我嗎？』

『臣不敢，但請陛下西歸。』說著，令狐行達扶著煬帝走下閣樓，走到一半，煬帝看到裴虔通。虔通本爲煬帝最親信的人，煬帝十分憤怒，責問道：『你不是我的老部下嗎？爲什麼要造反？』虔通對曰：『臣不敢造反，然而將士們都想要返回關中，想要侍奉陛下速還京師罷了。』

煬帝說：『這個好辦，朕本來也正想回去，只是船隻未到，朕與你們一塊歸去也就是了。』

『百官俱在廟堂，陛下必須親自出面慰勞。』虔通說完，把煬帝強拉上馬，左右環刀相侍。

剛走出宮門，門外叛軍噪聲如雷，宇文化及指著煬帝叱責：『幹什麼把這個東西帶出來？』煬帝見到衆人都拔出利刃，惡狠狠的瞪著他。不禁長嘆一口氣道：『我犯了什麼罪到今天這種地步？』

馬文舉道：『哼！陛下外勤征伐，內極奢侈，使得壯丁都喪生在矢刃之下，婦女老弱都塡塞於溝壑之中，人民失業盜賊遍地，你還說沒有罪嗎？』

煬帝至此不悔道：『我是對不起天下的百姓，但是你們卻享盡榮華富貴，爲什麼還要反叛？今天的叛變，是誰帶頭？』他還想用皇帝的威名扭轉形勢。

司馬德戡說：『普天同怨，帶頭的何止一人。』

這時，煬帝的十二歲兒子趙王楊果在旁邊，見到這種情形，嚇得大哭，裴虔通一刀便把趙王殺死。

事已至此，煬帝曰：『天子有天子的死法，何用鋒刃，去取毒酒來。』

結果，由令狐行達用煬帝的絲巾把煬帝縊死。這位歷史上有名的狡詐的，善於做作的皇帝楊廣，就這樣死了，結束了隋朝短短三十八年的命運。

閱讀心得

【第224篇】

李淵雀屏中選。

在上一篇中，我們說到荒淫無道的隋煬帝，終於在大業十四年，被他的部下宇文化及等人殺死於江都，結束了隋朝曇花一現般的盛世。

在此之前，全國各地起義反隋的兵馬有一百四十多路煙塵。現在，我們要介紹的，就是其中最有力量的一支——以李淵爲首的太原軍。

李淵自稱爲隴西舊族，西涼武昭王李暠的七世孫，李暠爲東晉時代十六國之中的西涼國的創始者。

李淵的父親李昞在北周時代，被任命爲安州總管柱國大將軍，襲爵唐國公。李昞的妻子獨孤氏與隋文帝楊堅的獨孤皇后爲姐妹。當時，楊堅爲隋公，以後篡周，建立隋朝。

既然李昞與楊堅二人的妻子爲姐妹，因此他倆爲連襟，李淵當然是隋文帝的外甥了。事實上，在李淵小的時候，與他這位皇帝姨父十分親近的。他在七歲時候，就襲爵唐國公，以後做到譙隴岐三州刺史，極有才幹。成年以後，李淵娶了鮮卑望族隋朝定州總管竇毅的女兒爲妻，關於這一段，還有一則故事。

竇毅這位女兒，品貌俱佳，因此他常常自誇道：『我這個女兒生有奇相，而且見識不凡，怎麼可以隨隨便便嫁人。』

於是，竇毅想了一個挑選女婿的好辦法，他在屏風上面畫了兩隻孔雀，對著前來請婚的男子說：『每一個人射兩箭，哪一個人能夠射中孔雀的眼睛，我就把女兒許配給他。』

一連有數十個青年前去射箭，他們每一個人在拉弓之前，無不信心十足，可是孔雀的眼睛極小，身上的羽毛又色彩斑斕，稍一偏向就無法射中的，因此一個一個都失敗了。

最後輪到李淵，他屏住呼吸，『咻』的一箭射出去，不偏不倚，正好射中孔雀的眼睛，圍觀的眾人都拍手叫好。竇毅看著也十分歡喜，但是表面上仍喝止道：『不急，還有一箭。』

第二箭射出去，同樣分毫不差，所以李淵就雀屏中選，成為竇毅的乘龍快婿。因此，後人挑中女婿，稱之爲『雀屏中選』。

竇氏一共爲李淵生下四個男孩：建成、世民、玄霸、元吉。一個女孩，嫁給臨汾人柴紹。因爲他們都是胡漢混血，所以頗有胡人的驍勇之風。

在李淵的四個兒子之中，以次子李世民最得李淵的寵愛，他聰明勇敢，膽識過人。眼看著隋朝皇宮亂成一團，頗有安定天下，解救百姓之志。所以，他就結交士人賓客，暗中匯集一股力量。

當時的晉陽宮監裴寂，與晉陽令劉文靜私交很好，經常兩人同被共宿。有一天裴寂見到城外烽火連天，對著劉文靜嘆息道：『我等如此貧賤，又逢到亂離的時代，將何以自存。』

劉文靜笑著說：『只要我們二人結交相得，何必爲貧而憂慮。』他這句話中就隱含有很深的意思。

接著，劉文靜又特別向裴寂推薦李世民。他說：『此人絕非常人，他的胸襟豁達類似漢高祖，他的神奇威武類似曹操，年紀雖然很輕，才幹卻冠於當世。』

『喔，是嗎？』裴寂只淡淡應了一聲，內心卻不以爲然。心想小小的李世民，哪有如此能耐，未免吹捧過分。

這個時候，李密（即爲楊玄感定計謀的李密）據有瓦崗，威振關東。因爲李密造反，而劉文靜與李密是親戚，因此也被牽連，被捕入獄，關在太原的大牢裡。

李世民前往探監。劉文靜對李世民嘆一口氣道：『現在天下大亂，非要有漢高祖和漢光武這樣的人才，始克能夠安定天下。』

李世民一昂頭道：『安知沒有？只是一般人不知道罷了。』這句話很明顯的表現出他的自視甚高。

說著，李世民拉著劉文靜的手道：『我今天來看你，並不是爲著小兒女般的感情，我是要與你共商大計。你有什麼計策？』

劉文靜至此也坦然說出心中的話：『現在主上（煬帝）南巡江都，李密圍逼東都，各地的強盜數以萬計。當此之際，如有眞正英明之主起來抗隋，奪取天下，易如反掌。你尊翁淵領兵數萬，乘虛入關，誰敢不從，不過半年，就能當上皇帝。』

這番話，說得李世民頻頻點頭，世民笑道：『君言正合我意。』

回去以後，李世民開始悄悄的招兵買馬，但是李淵並不知情。李世民惟恐父親李淵不肯，猶豫了半天，仍舊不敢對李淵當面表明。

此時，裴寂已自劉文靜口中，漸漸了解李世民的才幹。而李淵與裴寂的私交不錯，時常在一塊宴會小酌。世民想要透過裴寂說動父親，所以拿出了數百萬錢，找人陪裴寂賭博，又故意輸給裴寂，盡量討裴寂的歡喜。最後，裴寂答應爲世民去向李淵說項，慫恿他反抗隋朝。李世民能夠說動李淵嗎？造反是唯一死罪。有楊玄感的例子在前，李淵會答應他嗎？

閱讀心得

【第225篇】李淵舉棋不定。

李世民隨著父親李淵，留守太原。李世民有意勸父親李淵起兵反抗隋朝，卻又不敢開口。於是，拜託晉陽宮監裴寂幫忙關說。

有一次，李淵與裴寂喝酒暢飲之後，裴寂乘機對李淵道：『二郎（李世民排行第二，故以此稱）偷偷在養士馬，想要發動大軍，現在人心已經完全一致，就等你的一句話了。你到底意下如何？』

『嗯，吾兒確有此一計謀，事已至此，我也無可奈何，只有聽他的了。』

李淵從容答道。可見得知子莫若父，做父親的不會不知道世民的打算，只是裝聾作啞。

這個時候，剛好突厥攻打馬邑（山西省朔縣），李淵派遣高君雅協助馬邑太守王仁恭合力抵抗。可惜，此二人出師不利，打了一場敗戰。

李淵十分擔心因此被朝廷處分，終日愁眉不展。世民眼看機會來了，找著一個機會對李淵説：『現在主上無道，百姓困窮，晉陽城外皆爲戰場，大人若守小節，苦苦盡忠，下有寇盜，上有嚴刑，或早或晚，都會大禍臨頭。還不若順從民心，發動義兵，轉禍爲福，這是天賜的良機。』

這番話説得十分露骨，明擺著想要造反了。李淵雖然知道內情，然而他是十分謹慎的人。因此，大吃一驚道：『你怎麼可以説出這種話，我要

把你這個大逆不道的人綁起來，送到縣官那兒去。』

說著，李淵拿起紙筆，準備書寫告狀。

李世民沈住氣，緩緩的說：『孩兒觀察天時與人事，覺得事情已到非革命不可的地步，才敢對父親說這種話。如果父親一定要把我綁到衙門去治罪，兒子絕對不敢說不去。』

李淵把筆一擲，嘆口氣道：『我那兒捨得到官府裡去告發你。只是這種殺頭的事，你要小心開口。』

到了第二天，世民又去對李淵勸說：『現在盜賊一天比一天多，大人受皇帝之詔，奉命討賊，賊遍天下，那裡可以殺盡。因此，總不免因爲討賊不力而被治罪。就算大人能夠把賊討平，功勞太大，更容易引起皇帝的不滿。所以，只有我昨天説的一番話，可以躲避災禍。』

『對！』李淵點點頭道：『我昨夜想了一夜你説的話，實在大有道理，現在家破人亡在於你，化家爲國據有天下當天子也在於你。』

可是，不久以後，隋煬帝從江都派了一個使者來，赦免了李淵的罪，仍然留守太原。李淵眼前火燒眉毛的危機解除，所以又不急著起兵。

可是，過了沒多久，鷹揚府校尉劉武周在馬邑起兵，勾結突厥，佔據汾陽宮。李世民急忙奔告父親道：『大人做爲太原留守，如今盜賊竊據離宮，如果再不早定大計，禍患即將臨頭。』

李淵聽後，立刻召集將領佐吏宣佈道：『劉武周據有汾陽宮，我等無法制止，罪應滅族，如何是好？朝廷規定用兵要先稟奏，這一來一往之間，必然延誤軍機。』

於是，李淵便藉著這個理由，乘機叛變。朝廷派來監視李淵的王威與高君雅起了疑心，李淵不得不想個辦法，先除掉這兩個人。

一天早上，李淵與王威、高君雅正在處理政事，胙城地方有劉政會前來，說有密報。李淵對王威使了一個眼色，命他打開來看。不料劉政會卻不肯把密告交給王威，且正色的說：『上面所密告的，正是有關副留守王威的事，只有唐公（李淵）才能夠看。』

李淵故作驚奇道：『有這種事嗎？』急忙接過來一看，高聲念道：『王威、高君雅，暗地勾引突厥入寇。』

高君雅一聽，挽著袖子，舉起手臂氣得大罵：『這是有人想造反，故意誣陷我等。』

說來正是無巧不成書，突厥大軍竟然不早不晚，剛好這個時候進犯晉陽。人民都認爲絕對是王威與高君雅兩人合幹的好事。於是，李淵利用此一機會，就把他們兩人給斬了。

突厥大舉入寇，李淵等人沒法阻擋，聰明的李世民竟然把城門大開。突厥看到四邊城門大開，擔心城中設有埋伏，不敢入城，只敢在城外地帶大掠而去。

緊接著，李淵自號大將軍，在大業十三年三月，正式自太原起兵，表面上是幫隋平定亂事，實際上是準備奪取隋朝的天下。

閱讀心得

【第226篇】

『罄竹難書』成語的由來。

李淵自從在太原起兵以後，自任爲大將軍，積極的向隋軍進攻。

這個時候，突厥的力量很強，李淵爲著一方面擔心突厥壞事，一方面又想要借用胡人驃悍的胡馬，所以聽從劉文靜的建議，向突厥的始畢可汗談和，雙方約定：『若得攻入長安，民衆土地歸於唐，金玉繒帛歸於突厥。』

李淵爲爭取人心，大開糧倉，救濟災民，並且乘機招募義兵。然而，這些義兵都是烏合之衆，沒有經過檢閱練習，所以帶領起來萬分辛苦。

李世民及哥哥建成頗能與兵士同甘共苦，而且遇著危險，必定身先士卒。行軍途中，看見臨近道旁種植的菜蔬水果，一定向農民購買以後方才食用。這樣的軍紀嚴明，是一般隊伍所做不到的。萬一有一兩個士兵，忍不住嘴饞，偷吃了瓜果，李世民也會找到主人，賠償金錢。因此，一路下來，深得民心。李淵看著軍紀嚴整，忍不住高興道：『用這樣行兵方式，大可橫行天下。』

此時，李密在現在的河南省東部，擁有極大的力量，而且發表了一篇著名的檄文聲討隋煬帝，其中的名句有『罄南山之竹，書罪無窮；決東海之波，流惡難盡。』（這句話的意思是用完南山的竹子做簡策，也寫不完煬帝的罪狀。罄是用盡的意思。用東海的滔滔大水，也洗不完煬帝的罪惡。

以後我們形容罪狀之多，寫都寫不完，稱之爲『罄竹難書』，這就是此句成語的由來。我們在講故事中，陸續介紹了許多成語用典的由來，許多讀者來信表示很有意思，這正應了人們常說的文史不分家，文學與歷史有不可分割的關係。歷史讀得好，國文程度自然提高。）

自從這一篇檄文一出，海內轟動，人人傳閱，李密的聲勢如日中天，各地反隋的領袖如竇建德和徐圓朗等紛紛上表，勸請李密即天子位，李密卻以爲洛陽尚未拿下，還不必急在一時。

因爲李密的聲勢浩大，所以李淵想要來拉攏他，遣使通書。李密自以爲力量雄厚，要求李淵率領步騎數千到河南來，當面締結盟約，由李密自任盟主。

李淵不敢得罪李密，卻又不想跑到河南去。他笑著說：『李密這個人如此誇矜自大，我正準備進兵關中，如果一口回絕他，等於平白又多了一個敵人，不如拍拍他的馬屁，使他更爲驕傲，然後再慢慢觀看鷸蚌相爭，好來坐收漁利。』

於是，李淵就命令溫大雅回了一封書信給李密，信上說：『天生萬民，必有司牧，當今能爲司牧，做爲天子者，除了你還有什麼人？老夫年逾知命（知命爲五十歲），沒有這個野心了。願意跟著大弟你，攀鱗附翼。』

李密見到信，看得眉開眼笑，樂不可支。從此，乃對李淵深信不疑。

然而，日子總是不會一帆風順的，李淵的西征軍被阻在河東，渡不了黃河，又連逢大雨，軍隊裡缺糧。隋朝派出的大將宋老生相當厲害，李淵的部隊打不過他。然後，這時又聽說劉武周與突厥連手，準備攻打李淵的後方太原。

一連串的噩耗，使得李淵愁眉不展！他常常踱著方步長嘆：『老天爺如果要幫助我完成大業，怎麼會落到今天這一種地步？』

裴寂等也有意打退堂鼓先回去守太原，他們對李淵道：『宋老生的軍隊據有險要，一時之間攻打不下。李密雖然表面上與我們相結合，姦謀難測，不可不防。突厥與我們有約在先，但是突厥貪而無信，唯利是圖，我們也不能相信突厥。太原是一個險要的都會，士兵們的家屬都留在太原。如果劉武周真要勾結突厥拿下太原，究該如何是好？我們不如先回去把太原守住，以後再慢慢圖謀發展。』

裴寂這番話說得衆人都點頭稱是。天氣既壞，糧食又沒有了，與其坐以待斃，不如先回老家，守住根本。隋朝大軍不易征服，何況各地起兵反隋的有一百多路人馬，想要據有天下，那裡是這麼容易的事？還是不要異想天開做皇帝的夢了吧。

大家都心存悲觀的想法，李淵因爲時運不濟，也不免怨天尤人，只有他的二兒子李世民不以爲然。

世民站起來說：『如今一路上禾菽遍野都可以採來食用，何必擔心軍隊缺糧？宋老生這個人輕率浮躁，只要我們正式交兵，必定可以一戰而擒；李密擔心糧粟，沒有空做長遠的打算；劉武周與突厥雖然暫時結合，骨子裡互相猜疑。我們的目的是奮不顧身，解救天下蒼生，應該首先進入咸陽，號令天下。現在不過碰到一個小敵人，稍稍遭遇一點挫折，就馬上班師回老家，這樣如何成得了大事呢？』

世民這一番分析，有條有理充滿了氣魄，表現出他的勇往直前的精神。可見得天下的任何事，如自悲觀的角度看來，往往一籌莫展；可是，若自積極的眼光衡量，任何困難都可以克服。

但是，李淵聽不進去李世民的意見，他有些心灰意懶，而且又不放心太原的根據地，因此他執意立刻班師後退。

閱讀心得

【第227篇】

李世民軍營夜哭。

李淵的西征部隊，受挫於隋朝大將宋老生，被阻在河東地帶，渡不過黃河，又連遭大雨，軍隊中糧食欠缺。此時，風聞劉武周要借助突厥的軍隊攻打太原。軍中的將領如裴寂等，都主張先掉過頭回到太原，以後再做出兵的打算。

李世民獨排衆議，他認爲凡事自消極的眼光看來，無不困難重重；自積極的角度看來，困難都是可以克服的。但是，李淵不肯聽兒子的勸告，他頒佈了軍隊向後退的命令以後，逕自回營去休息了。

世民還想要去說動父親把部隊留下，然而天色已晚，李淵上床睡覺去了，很不方便冒冒失失的闖了進去。

如果是別人遇到這種情形，只有兩手一攤，徒呼奈何，畢竟已經盡過力量了，天意如此，難以挽回。

然而，李世民不一樣，他仍舊不肯死心，急中生智，兩脚一分，坐在營帳外，開始嚎啕大哭。起初只是斷斷續續的抽泣，到後來愈哭愈大聲。在淒清的夜裡，聽得人寒毛直立。

正在夢會周公的李淵也被哭聲驚醒了，他披上外衣到帳外一看，發現世民哭得眼睛快要睜不開了，訝異的問道：『你幹什麼如此傷心？』

『現在軍隊往前作戰會得到勝利，往後退就會到處逃散，而且敵人正好乘機攻擊我們。如今死亡即在眼前，我如何能夠不悲哀呢？』世民一邊擦眼淚，一邊陳述理由。

這時李淵也覺悟了，如此一後退，人心渙散，敵人也會乘虛而入。不禁長嘆一口氣：『可惜晚了一步，如今軍隊已開拔了，也沒法子挽救了。』

『還來得及，』世民搶著說：『右軍尚未出發，左軍雖然已經開拔，想來還走得不遠，請父親立刻命令我去把他們追回來。』

李淵看著兒子如此鍥而不捨，忍不住笑罵道：『事情的成敗，完全在你的身上了，我沒有什麼好說的，隨你去吧！』

李世民一聽此話，立刻飛奔上馬，連夜將左軍追到。把正在撤退的大軍，硬是給截了回來。

說也奇怪，自此以後，運氣逐漸好轉，劉文靜從太原運來了糧秣。八月以後，雨也漸漸停了，太陽露出了笑臉來。李淵開始命令部下，把快發霉的鎧甲行裝，搬到太陽底下曝晒。

然而，李淵依舊憂心忡忡，他愁眉不展道：『萬一宋老生不肯出來應戰，僵在這兒，他沒有關係，我們可沒法子長期耗下去。』

『別急！』世民胸有成竹，拍著胸脯：『宋老生這個人有勇無謀，我們向他挑戰，他不會不出來的。』

李淵搖搖頭：『萬一，他不肯上當，硬不出來，我們又攻不進去怎麼辦？』

『這個很是容易，他要是固守不出，我們就開始造謠，說是宋老生不肯出來應戰，因為他已暗中投降李淵大軍。如此一來，必有多嘴多舌的人，把話傳到皇帝耳中，他還敢不乖乖出來交兵嗎？』李世民把一切都考慮妥了。

於是，世民和他的大哥建成率領著騎兵來到城下，然後破口大罵，用種種的話侮辱宋老生。正在叫嚷著：『哈，果然沒有種。』時，宋老生氣得大開城門，率軍三萬，撲將過來。

世民引兵，直衝入宋老生的行陣之中，在宋老生背後，一口氣殺了數十人。直殺得雙手提著的兩刀皆有缺損，袖子上沾滿了鮮血。他用水洗去鮮血，又繼續作戰，並且放出謠言：『已經捉到宋老生啦！』

在一片混亂的情形下，隋軍以爲宋老生被擒，軍心大失！而李淵的部隊，得此鼓勵，愈戰愈勇，不一會兒的工夫，城門已被攻下。宋老生老羞成怒，準備下馬投入護城河內自殺，卻被劉弘基一刀砍死。

以後，李淵的大軍，一路上都極爲順利。前面說過，李淵除了四個兒子，還有一個女兒，嫁給柴紹。

早在李淵於太原起兵之時，柴紹也趕往太原。臨行之前，柴紹對夫人李氏說：『岳父起兵，我們無法一塊去，留在此地，恐怕會有禍患，應該如何是好呢？』

『你趕快走吧，我一個婦道人家，容易藏匿，我自己會有辦法的。』李氏催促著。

等到柴紹一走，她回到鄠縣的莊園，變賣家財，糾集徒衆。這一會兒聽說父親李淵的大軍，已經渡過黃河，二哥李世民的部隊也到達了渭北。她立刻率領一萬多名勇士，浩浩蕩蕩開入渭北，與哥哥李世民會合，人們稱之爲『娘子軍』，表示她不讓鬚眉之意。

在娘子軍的襄助之下，一路勢如破竹。大業十三年，李淵攻下隋都長安，立代王侑爲帝（是爲隋恭帝），遙尊煬帝爲太上皇。（請注意：此時煬帝仍未被殺，只是爲著讓讀者便於閱讀，我們把煬帝被殺的故事先交代在前面。）

第二年，大業十四年，煬帝被部下宇文化及所殺。李淵受禪稱帝，改元武德，是爲唐高祖。立長子建成爲太子，次子世民爲秦王，開啓了我國歷史上最爲光輝燦爛的大唐帝國。

如果李淵沒有聽從世民的建議，稍遇挫折即返回太原，怎麼會有以後的唐朝？可見得天助自助，上天是幫助能夠幫助自己的人。人生到處充滿了困難，我們應該要效法李世民的奮鬥精神，才能建立成功的事業。

閱讀心得

【第228篇】

輕薄公子宇文化及。

在隋煬帝大業十四年，煬帝被部下宇文化及等縊死。消息傳到長安，唐王李淵自立爲皇帝，是爲唐高祖，年號武德。所以，大業十四年，也是唐朝武德元年，西元六一八年。

唐高祖雖然即位爲君主，然而此時全國並未統一。由於煬帝的荒淫暴虐自古少見，因此各地起兵反隋的義兵多達一百四十多路人馬。我們把重要的人物故事，逐一加以介紹。第一個開場的不是別人，正是弒殺煬帝的領袖——宇文化及。

宇文化及是左翊衛大將軍宇文述的兒子，此人個性兇暴陰險，不喜歡尊重禮俗法規，年輕的時候，經常挾著彈弓，騎著快馬，奔馳在長安道上。行人都在後面指指點點：『哪！這就是咱們長安市上有名的輕薄公子。』隋煬帝爲太子時，也是一個好色貪玩的公子哥兒，與宇文化及臭味相投，只是煬帝善於僞裝，一般人不知情罷了。他與宇文化及十分要好，甚至常常出入宇文化及的臥室之內。

因爲家世顯赫，宇文化及很輕易的做到了太子僕。然而他品行不端，有收紅包的習慣，三番兩次被免官，幸虧煬帝與他有交情才能復職。後來，宇文化及的弟弟宇文智及娶了南陽公主，有了堅硬的靠山，宇文化及更加

張狂，出言不遜，看到人家有什麼珍貴的狗馬珍玩，一定要想辦法弄上手。旁人也不敢得罪這位公子哥兒。

等到煬帝正式即位爲皇帝，宇文化及更加有恃無恐，竟然違背法令，與突厥人作買賣，謀取厚利。結果被煬帝曉得了，大爲光火，把宇文化及關了幾個月，還準備殺頭。若非南陽公主的面子大，宇文化及的腦袋就要搬家了。

一直到宇文述去世，煬帝想起他還有一個宇文化及這個兒子，又再起用他當右屯衛將軍。

後來，煬帝三度遊幸江都，此時全國已動亂不堪，李密軍隊的聲勢浩大，煬帝心裡很害怕，不想回到關中，有意在江都留下。可是隨行的官兵多半爲關中人，思鄉情切，紛紛開溜。

大將司馬德戡很傷腦筋，他壓不住士兵，又不敢把驍果（英勇的將士）逃亡的事情稟報煬帝。以煬帝那種火爆脾氣，知道了噩耗，一定先斬司馬德戡出氣。但是不稟報煬帝，等到驍果都逃光了，煬帝一樣會動怒。情急之下，司馬德戡採用趙行樞的建議，說動宇文化及爲首領，發動政變，殺掉了煬帝。

從此，宇文化及據有三宮六院，奢侈浪費一如煬帝，每天在牙帳之中高據南面（古時帝王之位向南，所以稱君主爲南面），以皇帝自居。有人向他稟奏事情，他都低著頭不講話，一副莫測高深的模樣。下了牙帳之後，再回去找參謀研究對策。

當宇文化及率領十餘萬之眾浩浩蕩蕩離開江都向西行之時，走到徐州，水路不通，他命令手下去搶了二千輛的牛車（按隋唐時，官兵乘坐及運輸，多使用牛車，沒有牛車的地方，才使用馬驢）。他又載了大批的珍寶，再加上戈甲戎器，都要靠士兵背負，因此人人怨聲載道。

司馬德戡氣得對趙行樞發牢騷：『都是你幹的好事，推薦這樣一個活寶，在撥亂反正的今天，正需要英明的賢主領導，宇文化及昏庸無能，如何能成大事？』

『對你我而言，廢掉他有何難之處？』趙行樞拍著胸脯回答。於是他兩人積極策畫去掉宇文化及之事。不料請神容易送神難，宇文化及先一步逮住了司馬德戡。

宇文化及對司馬德戡道：『與你合力去掉煬帝，共定海內，如今事情剛剛成功，正好可以共享富貴時，你又何必造反呢？眞叫人想不通。』司馬德戡厭惡的瞪了宇文化及一眼道：『本來冒險殺掉昏君，是因爲苦於煬帝的淫虐。沒想到推立足下之後，比煬帝有過之而無不及。所以，不得不殺掉你，以服人心。』話還沒說完，宇文化及已經派人縊死了司馬德戡。

除掉司馬德戡以後，宇文化及身邊更沒有富於謀略的人才，軍事連番失利。李密知道宇文化及的軍糧快吃光了，故意派人來與他聯合。宇文化及以爲救兵即來，命令餓了幾天的士兵，痛痛快快的把剩下的糧食吃光，打過牙祭之後，才發現李密的詭計，原來，李密根本沒有要援救宇文化及，氣得宇文化及直跺腳。

宇文化及的手下，眼看著走上窮途末路了，也都紛紛求去。他一籌莫展，只有沈醉在美人和醇酒之中，尋找片刻的麻醉。他醉醺醺的對弟弟宇文智及說：『當初我也不知道你們要殺煬帝，是你們強拉我參加的。現在一無所成，我又背了弒君的罪名，爲天下所不容，難道不全都是你的過失。』

宇文智及冷笑道：『噢，當初事成之日，你爲何不怪我？』

宇文化及自知必敗，嘆著氣自語：『反正是會完蛋的，不如當個皇帝過癮。』因而即帝位於魏縣，國號許，改元天壽。

不過，他當這個皇帝沒有當上好久，就被竇建德用牢車載到河間問斬。

我們常謂『時勢造英雄』，然而，空有時運，自己沒有本事也是枉然。宇文化及雖有很好的機會，可惜終究是個不成材的輕薄公子，難成大事乃是意料中的事，又何必怪罪他人？

閱讀心得

【第229篇】

王世充僞裝誠懇。

在上一篇〈輕薄公子宇文化及〉之中，我們介紹了殺掉煬帝的宇文化及之後，再介紹一個反隋的代表人物王世充。

煬帝是一個貪婪好財的君主，特別欣賞下屬奉送厚禮。當他在大業十二年遊幸江都時，有一個江都郡丞獻上珍貴的銅鏡和屏風，立刻被拔擢爲江都通守。這位善於阿諛的大臣正是王世充。

王世充，本姓支，西域胡人，因爲母親改嫁霸城王氏，冒姓爲王。在隋文帝開皇年間，因軍功做到汴州長史。他生有一張能説善道的利口，又善於察言觀色，馬屁十足，官運頗爲亨通。

有一回，突厥兵在雁門把煬帝團團圍住，王世充發動江都人前往赴難，他在軍隊裡，整日蓬頭垢面，哭哭啼啼！到了晚上，也不把笨重的鎧甲換下，只在草堆上打個盹，表示時時刻刻不能忘懷煬帝的安危。後來雁門之危解除，煬帝聽説他的忠心，感動得説不出話。那怕煬帝平日是疑心病最重的皇帝，也被王世充的『誠懇』打動了鐵石心腸。

以後，江都發生政變，宇文化及等殺掉了煬帝，率衆西行，王世充正在東都洛陽留守。聽到凶耗之後，擁立越王楊侗爲皇帝，改元皇泰。楊侗其實僅僅是一個傀儡，實際掌握政權的是王世充，辦起事情來，

往往先斬後奏。楊侗相當不開心道：『擅自誅殺，不先稟奏，那裡是為臣之道，你想要擴充勢力危害我嗎？』

王世充立刻一頭栽在地上，流著眼淚道：『臣蒙先皇帝的提拔，粉身碎骨無以為報，如果內藏陰謀，違背陛下，讓臣全家族一起消滅不得好死。』他邊哭邊說，使得楊侗非常感動，拉著他的手去晉見皇太后，任命他為左僕射，總督內外軍事。

其實，王世充當然是個有野心的人，他最大的本事在於收買人心。他曾經立了一塊牌子在府門口，牌子上寫著：一、徵求文學才幹足以拯救時局者；二、徵求武勇智略足以衝鋒陷敵者；三、徵求有冤枉不能伸張者。

這三塊牌子一貼出來，嚇，不得了！大批大批自以為有才略和自認有冤屈者絡繹不斷的上門。王世充不厭其煩，逐一加以接見，親切的垂詢再三，殷勤的安慰告諭。每一個走出大門的人，無不面有喜色，而且誇獎道：『他多誠懇啊！』

也有著那自認有滿腹才華的人，以為獻上計策馬上可以實行。可是，時間一天一天的過去，人們發現儘管王世充嘴上讚美不已：『高見，高見！』其實沒有一件事眞正聽進去了。他對身邊的僕役、奴才，也都是裝著一副笑臉，親熱非常，只是這一切都是表面功夫，他沒有接納善言的雅量，也捨不得給部下任何實惠。

除了做作的誠誠懇懇予人反感之外，王世充還有一項令人討厭的毛病，說話嚕嚕囌囌，不得要領，一遍又一遍的重複。甚且當他篡奪了帝位，上朝登殿時，仍然千端萬緒講個不停。每次上朝，臣子們都聽得極爲不耐煩，恨不得用棉花把耳朵塞起來。御史大夫蘇良曾經上諫道：『陛下說話太多，又不得要領，指示宜在明確，何必費辭太多。』

王世充聽了，低下頭來沈思許久，他沒有怪罪蘇良的直言，但是這個多話的毛病，始終改不過來。

在軍事上而言，王世充曾大有斬獲，打敗李密，對李密的降將也十分禮遇。其中有兩位降將是大家所熟悉的：一個是秦瓊，就是秦叔寶，平劇中有一齣有名的戲叫『秦瓊賣馬』；另一位是程知節，也就是『半路殺出個程咬金』的程咬金。此二人的故事，並不一定如戲劇中所描寫的，不過確有其人，而且是隋末唐初很有名氣的大將。

他們兩人都不歡喜王世充多詐的性格，程咬金對秦叔寶說：『王公這個人器度狹淺，喜歡吹牛，又愛呼神弄鬼好爲咒誓，簡直像一個老巫婆，那裡是一位撥亂反正的人物呢？』

因而，在一次與唐朝軍隊交陣中，秦叔寶與程咬金下馬對王世充說：『我們深受特殊禮遇，常常想要報効盡忠，然而你性喜猜忌，喜信讒言，不是僕能託身之所。因此，現在我們不得不告辭了。』

後來，他們兩人投靠了李世民，成爲唐朝玄甲（黑戰衣）騎兵團的主力，一起出兵攻打王世充。

一回，李世民要去探查王世充軍營的虛實，帶了幾十名精騎衝入敵陣之中。他身先士卒，所向披靡，卻不料在一道長堤之上，與軍隊走失了，只有將軍丘行恭留在身邊。這時被王世充騎兵發現，李世民的馬被流矢射中，倒地而亡。世民也被摔在馬下。幸虧丘行恭把馬讓給世民騎，他一人手持大刀，連砍數人才能突陣而去。

世民雖然險些送命，仍然毫不畏懼進攻洛陽城。城中王世充守備極嚴，大炮飛石，重五十斤，兩百步內不斷落下，世民一直攻不進去。士兵們經過十多天的苦戰，也想休息。世民說：『不可，如今大舉而來，理當一勞永逸，洛陽不破，師必不還！有誰再敢言班師者斬。』

正在這個緊張的時刻，在河北另一支反隋的大將竇建德的救兵已至，對王世充而言，援兵及時趕到實在太好了。

閱讀心得

【第230篇】

竇建德眞夠義氣。

王世充死守洛陽，唐朝的李世民猛攻不進，兩人鬥得天翻地覆之時，王世充搬來了另一名反隋大將——竇建德當救兵。

這時的洛陽城中一片淒涼，因爲糧食不得運進，所以一匹布的價錢只能換得一斤鹽，珍珠寶貝都沒人想要了，塡飽肚皮要緊。等到樹葉草根都吃完以後，人們把浮泥與米屑和起來做餅，這種泥巴餅不僅難吃，而且不衛生，吃下去以後全身浮腫，更有不少人因而一命嗚呼。所以竇建德的到來，實在是王世充的一大喜訊。

竇建德是何許人也？讓我們先把圍攻洛陽城的戰事放下，爲大家介紹一下。

竇建德是貝州漳南人氏，膽力過人，頗有任俠之風。他自小就以重視諾言，爲人最有義氣著名，很得到鄉里人的敬愛。

有一天，竇建德正在田中除草耕田，忽然遠遠聽到有人在哭泣。他放下犁鋤跑去一看，原來有一個鄉人家裡死了親人，又因爲家貧沒法辦理後事，所以哭得悽悽慘慘。

竇建德聽了長嘆一口氣，心中暗想：生離死別已爲人生最大憾事，再加上沒有能力爲親人安葬，實在是令人同情。因此，他田也不耕了，逕自

做主爲鄉人風風光光辦妥了後事。這種義行，博得衆人一致的稱揚，以及發自內心的讚佩。所以當竇建德父親過世之時，前往弔喪送喪者達到千餘人之多。但是人們所送來的奠儀，竇建德都推辭不肯接受。

隋煬帝大業七年，招募壯士前往討伐高麗，竇建德因爲十分勇敢，小有名氣，被選爲兩百人長。他有一個同鄉叫孫安祖，也是因爲驍勇被選中。孫安祖不想去高麗。到縣府對縣令說：『我家裡最近被大水沖走，妻子又活活餓死，情況特殊，能否暫緩這項差事？』

縣令用鼻孔哼了一聲：『小子你不想去？』就命令人把孫安祖打了一頓。孫安祖家中遭遇變故，心情極壞，盛怒之下，竟然把縣令給殺死了。

這下子，孫安祖闖了大禍，他走投無路，來到了竇建德的家中，竇建德就收留了他。可是官兵挨家挨戶的搜查，遲早會被逮著。竇建德便對孫安祖說：『以前文皇帝在位之時，天下富足，他發動百萬軍隊前去討伐高麗，尚爲高麗所敗；現在水災過後，人民窮困，竟然又要發兵。我知道有個地方叫高雞泊，地廣數百里，深草及膝，便於藏匿。你不如帶領一些人到那兒去，靜觀時變，或許能爲天下百姓立功也不一定。』

孫安祖點頭稱是。於是，竇建德就幫他募來一些逃兵和無賴，一塊兒到高雞泊去當強盜，孫安祖自號爲將軍。

由於煬帝倒行逆施，加上山東地區又大鬧饑荒，所以落草爲寇，改行當強盜的人還不少。例如張金稱和高士達都是。因爲竇建德這人很夠義氣，因此強盜來往於漳南之間，雖然打家劫舍，焚燒屋莊，單單不入竇宅。

地方官吏判斷其中有問題，如果不是竇建德與強盜們暗中有來往，為何竇家每次都能倖免災禍？一怒之下，便把建德家中的父母妻兒殺了個精光。

在外的竇建德聽到惡耗，又氣又恨，既然無家可歸，他也只有領著一小隊的人馬，前往高雞泊。由於他很會打仗，又不濫殺無辜，聲威一天比一天壯大，擁有十餘萬之眾。等到打下了樂壽，他宣佈成立政府，自封為長樂王。

竇建德很能卑躬屈節接待士人，又能與士卒同甘共苦，平均勞役，很得下屬們的擁戴。而且他每回打了勝仗，所得到的財物，統統分給將士，自己一無所取。並且他不愛吃肉，只吃一些簡單的蔬菜及糙米飯，他的妻子曹氏穿著十分簡陋，所用的婢妾也不過十來個。甚且當他得到隋朝的後宮佳麗千餘人，都是爲煬帝千挑萬選的絕色美人，竇建德也很仁慈的把她們都放散回家。在隋末起義的大將之中，能和他一般不尚奢侈，保持農民儉樸美德的，倒還眞不多見。

後來，當宇文化及殺掉了煬帝，乃在魏縣即帝位。竇建德知道了，難過得痛哭流涕！對內史侍郎孔德紹說：『我做爲隋朝的百姓已有數十年之久，隋朝爲我等的君主也有二代了。現在宇文化及大逆無道，他是我們的仇人，我等去討伐宇文化及如何？』

孔德紹說：『現在海內無主，英雄角逐天下，大王你以一個布衣崛起，隋朝郡縣官人無不爭先歸附，宇文化及這個小子與國有聯姻的關係，父子兄弟都受隋朝的恩澤，竟然殺掉了皇帝，乃天下之賊也，這種人怎麼能不討伐呢？』

竇建德立刻率兵前往征伐宇文化及，只有三兩下就把宇文化及打得落花流水，然後入城進謁煬帝的皇后蕭后，自稱爲臣，並且用牢車把宇文化及和他兩個兒子綁到大殿問斬。一些參與謀刺煬帝的宇文智及和楊士覽等人，也一併斬首。

讀者看到這兒或許會奇怪，竇建德是一個反隋領袖，爲何又要爲煬帝報仇，甚且還爲煬帝素服發喪，哭得昏天黑地？這是因爲在君主時代，皇帝乃是至高無上的。不論皇帝如何爲惡，弒君之罪仍爲不可饒恕。所以，竇建德認爲反抗暴政是一回事，對君上還是要保持一種尊敬的態度。這種心理，是反映當時人民的思想，不足爲奇。

閱讀心得

【第231篇】

竇建德自斬左右手。

竇建德起兵後不久，碰到一個勁敵——隋朝河間郡丞王琮，死守城池，堅拒羣盜。竇建德一連攻了一個多月還是攻不下。正在這時，聽說煬帝被宇文化及等殺死，王琮命令全軍戴孝，所有守城牆者都失聲痛哭。竇建德還派了使者前去弔祭。（在上一篇中，我們說過，後來竇建德殺了宇文化及，爲煬帝報仇，因爲當時人心目中，皇帝仍然是神聖不可侵犯。）

這時，王琮派人前來請降，竇建德爲著表示禮遇，把軍隊向後撤退了幾里，準備了豐盛的酒食宴請王琮。王琮談到煬帝一死，隋朝將亡，忍不住掩面而哭，竇建德也在一旁悄悄落淚。

將領們看著他二人談得十分投機，不以爲然道：『王琮抗拒我軍，殺傷無數，如今因爲兵敗力盡方才投降，我們請求把他給烹了。』

竇建德搖搖頭，不以爲然道：『王琮是個忠臣，我正想要獎賞他，做爲盡忠君主的榜樣，怎麼可以把他給殺了。以前我們在高雞泊地方當強盜，或許還可以胡亂殺人，現在想要安百姓，定天下，豈得害忠良乎？』並且傳令三軍：『哪一個以前與王琮有過怨恨，想要輕舉妄動者，先夷三族。』（三族指的是父族、母族與妻族。）

同時，竇建德任命王琮爲瀛州刺史。因爲他善待隋朝官吏，河北郡縣

聞之，爭相依附建德。

當竇建德攻陷了景城，逮住了戶曹，因爲這位戶曹平日對老百姓十分寬厚，所以縣民千餘人悲泣不已，爭著要代替戶曹去死。竇建德不但把戶曹給放了，更且任命他爲治書侍御史。

在隋末起兵的將領之中，竇建德是一個比較有才有德，而且又有領袖精神的義兵，也可以説是唯一能與唐朝李淵和李世民抗衡者。

不過，竇建德做錯一件大事：他有一位大將王伏寶，勇冠三軍，所向無敵，幾乎每一場重要的戰役都是他打的，所以十分招嫉。軍隊中其他的將領便聯合起來對付王伏寶，誣陷他謀反。竇建德不能明辨是非，竟然把他給殺了。臨刑前，王伏寶傷心的哭訴：『大王奈何聽信謠言，自斬左右手。』此後，建德的兵力大不如前。

王世充被唐朝李世民圍困在洛陽，城內彈盡援絕，因此請求竇建德拔刀相助。於是，建德率領了三十萬大軍，水陸並進加入戰場，並且寫了一封信給李世民。請求：『退軍潼關，償還王世充的土地，復修舊好，共訂和約。』

李世民收到信以後，立刻召開緊急高級幹部會議，許多人都認為竇建德來勢兇猛，不如暫時撤退，以避風頭。但是有一位薛收提出反對意見：『現在王世充守著洛陽，他所帶領的兵都是江淮精銳，所差的只是糧食，萬一竇建德與王世充兩軍聯合，這一場仗就有得打了。如果我們一方面派兵守在洛陽城外，築起深溝高壘，不與王世充作戰，活活把他餓死；另一方面先到虎牢關，以逸待勞，等著竇建德大軍前來，那麼不過二十天，二王都會被我們擒住。』

李世民本來就是一個勇於面對挑戰的人，他立刻採納了薛收的建議，一面圍困東都洛陽，一面自己率領了程咬金、秦叔寶、尉遲敬德等大將東赴虎牢關。世民神氣的對尉遲敬德道：『我執弓矢，你拿槊相隨，就算有百萬大軍，咱們也不怕。』又接著說：『他們看到我，一定嚇一跳。』

李世民一行到了竇建德的營外，遇到了巡邏兵，巡邏兵以爲來者是唐朝派來伺察的斥候，不料李世民大呼一聲：『我是秦王！』說著，引弓射之，射中竇軍的一個將領。建德軍中派出五六千騎兵追趕，世民帶領的五百將士大驚。世民說：『你們先退，我和尉遲將軍殿後。』

於是，世民與敬德拉著馬韁徐行。追兵將至，李世民引弓射之，每次都射中一個，使得追兵十分畏懼不敢前來。過一會兒，追兵鼓起勇氣向前幾步，世民又射死幾人，尉遲敬德也橫槊連斃數人，李世民打了一個漂亮的勝仗。

但是，竇建德仍然看輕唐軍，他派了三百騎兵渡過氾水，距離唐營只一里處停下，遣使對世民說：『請派幾名精銳的勇士，咱們玩一玩。』意思是比武。結果兩軍交手，互不勝負。這時，王世充手下王琬，騎著自煬帝那兒帶來的戰利品——一匹駿馬在陣前耀武揚威。李世民愛馬，是歷史上有名的佳話，因而透著羡慕的口氣道：『他所騎的眞是一匹駿馬。』尉遲敬德聽了，便上前與之交鋒，奪下了良馬。

竇軍因爲輕敵，在神不知鬼不覺中，唐軍已偷偷來到建德的陣營之後前後夾擊。建德急忙引兵擊之，兩軍大戰，塵埃彌天，建德中槊墜馬，被俘虜入唐營帳幕之中。李世民生氣的說：『我自討王世充，干你何事？爲何越境，犯我兵鋒？』

竇建德回答：『我現在如果不來，等到你打敗王世充之後，一樣會來找我。』

救兵既敗，王世充也請降。李世民對王世充笑道：『你常笑我只是一個童子，現在見到童子，爲何如此恭敬呢？』

憑著李世民的英勇，他一下子制伏了兩名強悍對手。

閱讀心得

【第232篇】劉黑闥殺牛待客。

王世充與竇建德被押解到長安後，竇建德被斬於太廟，王世充被廢為庶人。唐朝平定天下的大業，又往前邁進了一大步。

不過，竇建德雖然兵敗被殺，他的勢力卻沒有完全削平。當他大軍失利之時，手下的部將已經偷偷藏匿不少兵器、庫物及錢財，等到竇被問斬之後，他們就利用手上的武器財貨，在地方上橫行不法。

唐朝的官吏依法予以拘捕，或者狠狠的用刑，打個幾百下屁股。

因爲竇的部將在鄉里橫暴，地方百姓引以爲患，所以唐朝政府下令竇建德的部將高雅賢和范願等前往長安，以便就近看管。范願等不願意到長安去，互相商量道：『王世充在洛陽投降，他手下的驍將楊公卿和單雄信都被滅族。我輩如果前往長安，也沒有保全老命之理。何況我們十年以來，身經百戰，如果要死，早就應該上西天了，現在這條命是撿回來的，又有何珍惜？不如重新建立一番大事業。而且夏王竇建德以前捉到淮安王，用客人之禮對待他，可是唐朝得到竇建德，竟然不由分說的問斬在太廟。我們都是竇建德的愛將，今天如果不爲他報仇，將無顏面見天下之士。』

『對！對！』他們幾人七嘴八舌的附議著，一致表示贊同。他們在未入高雞泊當強盜以前，本來也是無賴流氓，天生是亡命之徒，比較習慣刀

下淌血的日子。不過這些人也有自知之明，曉得自己有勇無謀，不足以號召天下。於是，準備找一個領袖帶頭。找什麼人才合適呢？求神問卜的結果，姓劉的爲大吉大利，所以一行人積極的物色劉姓舊將。

竇建德有一位大將名叫劉雅，在軍中名氣不小。范願等人遂即前往漳南，拜見劉雅，希望他能出面領導東山再起。

哪知道劉雅早已脫下戎裝，不問世事。他堅定的搖搖頭道：『現在天下剛剛安定，我將終老於耕桑，不願意再起兵。』

劉雅這番話說得極有道理，以前起事爲的是反抗隋煬帝的暴政，如今的唐朝政府清廉愛民，又何必要去動刀動槍騷擾百姓呢？他們聽了劉雅的話，忠言逆耳，頗感不是滋味。滿懷欣喜跑了來，竟被澆了一盆冷水，愈想愈覺火大，又擔心劉雅將會洩密。於是，一不做，二不休，竟把劉雅給殺了。

殺掉了劉雅之後，仍然缺少一個姓劉的領導者。范願等人想了半天，終於想到了另一個合適的人選，劉黑闥。

劉黑闥是貝州漳南人，是個無賴。喜歡喝酒、賭博、不務正業，他的父兄都很厭惡這個不肖子弟。前面說過，竇建德這個人十分四海，喜歡結交三教九流的各色朋友，所以旁人都不屑理會劉黑闥，竇建德與他的交情倒不壞。劉黑闥好吃懶做，家裡又窮，時常厚著臉皮向竇建德要錢，竇建德也不以爲忤，只要手頭方便，沒有不答應的。

後來，劉黑闥跟著郝孝德當強盜，又曾歸李密當裨將，最後被王世充俘虜。因爲看不慣王世充的作風，再度亡歸竇建德。他與建德本爲舊識，竇建德便任命他爲將軍，封爲漢東郡公。

劉黑闥爲人奸詐，加上跟過不少強盜混日子，見多識廣，更加善觀時變。竇建德利用他這個本領，每次打仗之前，總是派劉黑闥去當間諜，滲入敵人之中一察虛實，或者命令他帶領一隊騎兵，出其不意乘機奮擊，常常能夠大獲全勝，因此在軍中號爲神勇。自從竇建德失敗之後，隱姓埋名，回到漳南老家杜門不出。

因爲劉雅不肯出山，范願等人想起了劉黑闥。范願對大家説：『漢東郡公劉黑闥，爲人果敢，多有奇略，寬仁容衆，對士卒有恩，我常聽説將有姓劉的要當王，看來就是指著他。我等如果要舉大事，收服夏王竇建德的舊部，絕非此人不可。』

被范願一説，大夥又心頭熱起來，興沖沖的前往劉黑闥處。走了沒多久，就看到他穿著短褲，戴著斗笠，正在田裡澆水。

范願等人把來訪的經過告訴劉黑闥，並且又捧了他一番，説是問卜之後，姓劉者爲大吉大利，可見乃天命劉黑闥應該爲王如何如何。

劉黑闥本來是個無賴出身，雖然放下屠刀，改行當農夫，到底江山易改，本性難移，對於每天鋤草、施肥、澆水的繁重農事，早已感到不耐，只是不得不爾；如今時來運轉，有人登門拜訪，邀請出山，豈有不答應之理。

『好！我答應你們！』劉黑闥把鋤頭一甩，丟到田裡去，以後也不需要這個東西了。『來！我來請你們喝酒！』爲著表示老大的氣派，劉黑闥拍著胸脯，邀請衆人回家暢飲。

可是家中空空如也，拿什麼待客？『對了，不如把老牛給殺了！』可憐的老牛剛才還爲劉黑闥在田中賣命，一會兒就成了這羣強盜下酒的美味。他們邊吃邊談，商討如何奪得天下的大計，不亦快哉！

閱讀心得

【第233篇】

李玄通舞劍。

劉黑闥憑藉多年的經驗，很能打仗，他在漳南糾集了數萬人開始起事。唐高祖李淵命令淮安王李神通率軍討伐，被劉黑闥打得大敗，士馬軍資損失三分之二。

在高祖武德四年十一月，劉黑闥攻陷了定州，俘虜了定州總管李玄通。劉黑闥對李玄通的才幹十分欣賞，捨不得殺他，有意拔擢李為大將軍，但是李玄通說什麼也不答應。劉黑闥只好派人先把他看守在牢裡。

到了傍晚，李玄通的故交派人送了酒菜來。李玄通坐在監牢裡，好好的吃了一頓。自言自語道：『諸君哀憐我被幽囚，忍受著屈辱，特別帶了酒菜以安慰我，我自然不能辜負諸君的美意，當爲諸君一醉。』

於是，他把送來的菜一掃而光，又喝了不少酒，喝得醉醺醺時，對守衛的說：『我要舞劍，請把你的刀借給我用一用。』守衛的見他情緒開朗，也吃了不少，更知道李玄通是劉黑闥所想重用的人，不敢怠慢，立刻把劍遞了上去。

李玄通接過劍，舞了一番之後，嘆息道：『大丈夫受國之恩，在一方面鎮守，不能夠保全領土，還有什麼面目活在這個世界上呢？』說著，舉起劍往腹中猛刺，腸破血流，當場斃命。

唐高祖聽到李玄通殉國的消息，難過得哭了一場。爲著表揚李玄通的英烈，特任命李玄通的兒子爲大將軍。

劉黑闥乘勝追擊，攻克洛州，正式成立政府，自號爲漢東王，焚香告天，並且設壇祭拜竇建德。眼看著劉黑闥的聲勢日壯，唐高祖只有再派他勇敢善戰的兒子李世民前去討伐。

由於劉黑闥的運糧船車，被唐軍截擊焚毀，因此與李世民相持了六十多天，屢次打敗唐軍，依舊兩軍僵持不下。有一次，劉黑闥偷襲唐軍營地，李世民率領一批人馬正在營後掩護，結果被劉黑闥所困，動彈不得。世民手下的愛將尉遲敬德率領壯士突圍而入，歷經萬險，才把世民救出。李世民經過數次大難不死，依舊勇氣十足，並沒有因爲一二次的挫折而喪失銳氣。

他對手下說：『劉黑闥雖然兵力威猛，但是他的糧草所剩無幾。我猜想：在短期之內，他必定會來決一死戰。』

然後，李世民前往洛水上游，對著守堤防的官吏說：『當我與賊大戰之時，你就把堤防打開。』

果然，不出李世民所料，過了沒有多久，劉黑闥親率步騎二萬，南渡洛水，壓唐營而過。李世民也挑選了精壯的勇士迎上陣去，一舉大破劉黑闥的兵馬。但是，劉黑闥可也不是省油的燈，他率領部隊作殊死戰，從中午一直打到黃昏，打得昏天黑地，互有勝負。

眼看著劉黑闥的軍隊將要不支，黑闥手下的大將王小胡悄悄靠近了他身邊，小聲的說：『我們的力量差不多了，要走就要趕快。』

劉黑闥自忖，留得青山在，不怕沒柴燒，眼前不如暫時告退。於是，拉著王小胡偷偷摸摸離開了戰場。他手下的士兵還不知道將領已經開溜了，仍然在與唐軍作最後的奮戰。正在此時，忽然『嘩啦』一聲，堤防缺口放水了，大量的洪水如萬馬奔騰般湧至，深達一丈餘高，把連人帶馬一塊兒沖了下去，劉黑闥的部隊淹死了幾千名。

這個時候，山東完全平定，河北的屬地完全歸於大唐帝國的版圖。李世民威風凜凜，高奏凱旋歌，返回長安。

俗話說：『擒賊要擒王。』因此，雖然劉黑闥的大軍被一舉消滅，但是他本人成了漏網之魚。劉黑闥愈想愈不甘心，可是手下僅餘數百騎兵又能如何？他本是一個為達目的不擇手段之人，靈機一動，把腦筋轉到突厥上面。於是投奔突厥去了。

劉黑闥在突厥待了半年，率領突厥士兵再打回河北，一連攻破定州、瀛州、洛州、貝州等地，各州郡紛紛又歸向劉黑闥。唐朝大為震驚，唐高祖派遣太子建成出兵抵禦。

太子的參謀魏徵（他就是歷史上向唐太宗勸諫的有名大臣，此時為建成所用）對太子說：『過去我們打敗劉黑闥的軍隊，他的將帥都被處死，妻子都被俘虜，所以他的手下都不敢投降唐朝。現在，我們雖然下了詔書，赦免劉黑闥黨羽的罪狀，他們都不敢相信，不如先放走一些關在牢裡的俘虜。那麼，我們就可以坐視他的手下紛紛離散了。』

魏徵的這一計十分有效，劉黑闥的手下看到唐朝對降將寬大爲懷，不約而同的歸順了。

武德六年正月，劉黑闥被官軍所逼，日夜奔走不得休息，率領最後幾百隨從，又餓又累的來到饒陽城外。饒州刺史諸葛德威原爲劉的人，出城迎接劉黑闥。劉不肯進城，諸葛德威哭哭啼啼，硬要把劉拉入城內。他說：『難道還不相信我嗎？』

劉黑闥看諸葛德威一片誠意，而且也的確走不動了，也就答應入城內。諸葛德威宰了一頭肥豬，又搬來一石酒，劉黑闥等人很高興，正在大吃大喝，諸葛德威忽然派兵把劉黑闥給逮住了，送交太子建成。

臨刑前，劉黑闥自嘆：『我本來在家安分守己的種菜，哪想到今天落此下場，我是上了高雅賢等人的當了。』

這時劉黑闥萬分後悔利慾薰心，不該殺了老耕牛。

閱讀心得

【第234篇】

李密大逃亡。

在隋朝末年反抗煬帝暴政的羣雄之中，除了李淵、李世民父子以外，聲勢最大的，影響力最爲深遠的，應該算是李密了。

我們前面曾經提到過，輔助煬帝奪得了帝位的楊素。有一次他在鄉下發現一個年輕人，騎著黃牛、戴著斗笠，把一卷漢書掛在牛角上，邊騎邊讀，楊素被他好學不倦的精神所感動，一問之下知道這個書生叫李密。

李密的祖父曜是周朝的蒲山公，父親寬，爲隋朝的上柱國，家世顯赫。

但是煬帝嫌李密的眼神有異常人，十分厭惡，所以不准李密當宿衛，李密便潛心讀書。楊素很讚賞李密的才學，把他請到了家中，對兒子楊玄感說：『我觀察李密的才情、見識、風度，都是你所趕不上的，要好好跟人家學習。』

以後，楊素因爲功高業大，引起了煬帝的疑心，所以連生病都不肯服藥。楊素魂歸西天以後，楊玄感深知楊家招嫉，又因爲不滿於隋煬帝的暴政，發動了歷史上有名的『楊玄感之亂』，在這場亂事之中，李密是楊玄感重要的軍師。

楊玄感兵敗被殺，李密亡命四方，被人告發，送往東都洛陽問斬。

李密與同行的王仲伯等，想在中途開溜，遂生一計，他拿出許多金光

閃閃的金子，對著押解的守衛道：『等到我等伏法之後，這些錢咱們留著也沒有用，不如留給你，請你爲我們買一口棺木埋葬，剩下的就算我們報答你大恩大德的費用了。』

那個守衛看著黃晶晶白花花的金銀，眼睛都發直了，滿口答應了李密的請求。拿人錢財，與人消災，守衛的自此以後對李密等人十分客氣，看守也逐漸鬆懈。

一天，走過一家飯店，李密央求想進去吃一頓，守衛的也嘴饞，而且反正花的是李密的金子，也就應允了。

進了飯店，李密叫了許多酒菜，守衛者心想不吃白不吃，痛痛快快大嚼一番，狠狠的灌下了幾杯老酒。因爲喝得太兇了，以至於守衛的頭頭，和他手下的幾個小跟班，到了魏郡石梁驛時，早已醉得不省人事，躺在床上像豬一般鼾睡著。李密等正好利用這個機會，挖穿了牆壁逃之夭夭。

李密開溜之後，跑去投靠郝孝德。郝孝德知道李密是朝廷通緝在案的重犯，不肯收留。李密又奔向王薄，王薄也不願意因此而惹禍上身。李密走投無路，餓得沒有飯吃，以至於只有削樹皮充飢，然後埋名隱姓躲在淮陽村舍，靠著肚子裡的墨水，教幾個小孩子讀書混日子。可是過了沒有多久，郡縣官接到密報，說是新來的一個外鄉人行跡可疑，可能是李密。郡縣官立刻準備拘捕，李密只好又趕緊逃亡。

在走投無路之下，他只有去找自己的親妹妹。他妹妹嫁給一個叫丘君明的人，丘君明也不敢收留這個大舅子，卻又不能見死不救。考慮了好一會兒說道：『這樣吧，我們這兒有一個遊俠王秀才，人很夠義氣，你不如先在他那兒躲一會兒。』

王秀才倒是一個血性漢子，又不滿煬帝的倒行逆施，答應收留了李密。顛沛流離的李密，終於找到了一個暫時可以安身立命的地方。

丘君明有一個從姪，看到丘君明與李密鬼鬼祟祟的樣子，他當然也知道李密的妹妹嫁給丘君明，心想這是一個向朝廷邀功的好機會，上書煬帝密告此事，煬帝要他自己與梁郡通守楊汪相聯絡。

楊汪相接了消息，立刻派兵圍捕，包圍王秀才家宅。這時，李密正好外出，倖免一死。但是妹夫丘君明及王秀才，都因此被判死刑。

閱讀心得

【第235篇】翟讓死裡逃生。

李密前往投奔妹妹和妹夫，卻因此使得他夫婦牽累被殺之後，往來於各個反隋的將領之間，遊說自己有安天下的計策。

開始之時，沒有人理會李密，過久了，稍稍以爲然，他們彼此討論道：『李密這個人乃公卿子弟，十分有志氣，現在人人都傳說，楊氏將滅，李氏再興。古人說得好，將要爲王的人，絕不致中途死亡。你們看，李密三番兩次死裡逃生，莫非所謂李氏將興，指的正是李密。』

於是，將領們漸漸敬重李密。李密觀察當時反隋的領袖之中，以翟讓最強。所以請王伯當推薦，想要投奔翟讓。

翟讓是什麼人？爲什麼李密一心一意想去投靠他呢？

翟讓原爲東郡一個小官兒，因爲受到別人的連累被判死刑，坐在牢裡準備秋決問斬。

牢中的獄吏黃君漢看到翟讓，相貌堂堂，驍勇威武，到了半夜，偷偷的爲翟讓鬆了綁，對他說：『天下的世事多變，未來如何，誰也不能預知，像你這樣一條漢子，死在獄中不是太可惜了嗎？』

翟讓本來心如槁木死灰，等著去見閻王爺。一聽此話，驚喜萬分！跳了起來，拉著獄吏黃君漢的手道：『讓如果能夠逃出這個養豬的圈牢，不

論生死，都是您的大恩大德所賜。』

黃君漢點了一下頭，立刻把刑具打開，對翟讓道：『快走吧！』

翟讓幾乎以爲在做夢，正準備逃離牢房，轉念一想，黃君漢放走了犯人，到了明天一早，他如何交代呢？這一遲疑，又不忍離去了。翟讓長嘆一口氣道：『讓蒙再生之恩，實在太幸運太幸運了，但是黃曹主你怎麼辦呢？』說著，翟讓流下了兩行熱淚。

『呸！』黃君漢朝地下吐了一口唾沫，憤怒的說：『本以爲你是男子漢大丈夫，可救生民之命，所以我不顧生死也要解救你。沒想到你反而哭哭啼啼，婆婆媽媽，和小兒女一般的辭謝。什麼玩意嘛！你走吧！好好努力，別爲我憂心。』

既然如此，翟讓也不能辜負黃君漢這番美意，感激萬千的逃離了監獄，來到了瓦崗寨，與單雄信等人一塊當強盜。

瓦崗寨中有一名少年徐世勣對讓說：『東郡這個地方，對你我而言，都是鄉里，人多相識，實在不好意思拉下臉來搶掠。隔鄰的滎陽梁郡，爲汴水所流經，來往的商旅很多，正可以大大的剽劫一番。』

翟讓認爲徐世勣說的話有道理，便率領著一窩強盜來到滎陽，劫掠公私船隻，果然大有斬獲。因爲隋朝末年，煬帝倒行逆施，人民生活困苦，許多民衆不得已落草爲寇。翟讓混得不壞，爲人又夠義氣。因此，依附他的人很多，這也是李密想要投靠翟讓的原因。

李密找了王伯當介紹，見到了翟讓，對翟讓私下說：『劉邦、項羽起自布衣平民，也做到了帝王。現在主昏於上，民怒於下，能夠打仗的精兵都在遼東之役中用盡了，和突厥的和親政策也告斷絕，而皇上仍在揚州遊山玩水，這正是起兵的好機會。以足下的雄才大略，士馬精銳，席捲天下，隋朝豈不可以亡在足下手中。』

翟讓聽了哈哈大笑，拍著李密的肩膀道：『我們只是一群強盜土匪，在深草叢林之中苟且偷生，哪兒敢做夢當皇帝，你所說的，不是我能力所能及的。』

閱讀心得

【第236篇】翟讓推戴李密。

翟讓見李密爲衆豪傑所歸附，有點兒想把李密留下來，卻又猶豫不決，難下決定。李密却是一心一意想留在翟讓身邊。

此時，有一個名叫賈雄者出面了。賈雄通曉陰陽占卜之事，爲翟讓的軍師。翟讓十分迷信，對賈雄的話言無不從。李密利用機會結交賈雄，然後央託他在翟讓面前美言幾句。

賈軍師是一個十分深沉的人，他知道如果專程爲李密的事去請託，並不見得奏效，因此埋在心裡，等候適當的機會。過了不久，翟讓自己去找賈雄，對他說：『上回李密來找我，建議我席捲天下當皇帝，你看可行嗎？』

『哈！吉不可言，吉不可言！』賈軍師立刻拍手叫好。又說：『公如果自立來打天下，恐怕不見得會成功；如果立李密，事情沒有辦不通的。』

『噢？』翟讓疑惑的問道：『如果正如卿所言，李密這般神通廣大，他大可以自立，何必前來依靠我？』

粗中有細的翟讓這句話倒反問得有理。當然，賈雄軍師早有了應付之計：『這是因為將軍姓翟，翟乃是水澤的意思。李密沿襲父親的爵號為蒲山公，蒲乃草也，非依水澤不能生存，所以必須仰賴將軍。』

這樣測字的推論，實在毫無道理。不過，翟讓卻深信不疑。自此以後，對李密一天比一天情意深厚。

李密對翟讓建議道：『現在將軍的人馬一天比一天多，糧無所出，只靠搶劫過日不是辦法，如此曠日持久，人馬困頓，倘若碰到強勁的敵人，必定軍心渙散，四處流離。不如先把滎陽給拿下來，佔領了一個據點，然後等到士勇馬肥，再去與人爭奪天下。』

翟讓很贊成這個建議，但是，初攻滎陽碰到了阻礙。原來隋朝派出的通守張須拖勇猛善戰，翟讓曾經被他打得落荒而逃。因此，一聽說張須拖要來，心中畏懼萬分。

『不要害怕。』李密安慰道：『張須拖有勇無謀，過於驕傲，我們大可一戰而擒之，公只要列好陣勢，不愁不破敵軍。』

翟讓萬分不情願，卻又不得已，只好勉強排出陣勢，然後李密派遣了一千多精兵埋伏在樹林之間。翟讓與張須拖一交手，果然又打不過，退下陣來。這時，李密的伏兵一擁而上，張須拖未料到此招，在混戰之中被殺。

此役之後，翟讓命李密率領一支部隊。李密帶兵十分嚴格，他本人也異常節儉樸素，搶到的金銀財寶都頒賜屬下，所以下屬也樂於爲他効命。他的部下常常受到翟讓部下的欺負凌辱，可是懼於威令，不敢反抗。

後來，李密又建議趁著煬帝赴江都遊玩，東都空虛，拿下洛口倉庫。

這時，翟讓益發感到李密的才智在己之上，一抱拳道：『此乃英雄之略，非我能力所及，我願意聽君之命，盡力而爲，請君先開拔，我為殿後。』

李密率領精兵七千，一舉而攻下洛口倉庫，然後大開倉門，讓民衆任意取用。隋末百姓民不聊生，已多日未見米飯，聽說有此大好消息，爭先恐後來背負米糧，把道路擠得水洩不通。

經此一戰，李密勢力如日中天，翟讓自認爲在在不如李密，甘心讓位，把瓦崗軍的最高領袖位置讓給李密，尊崇李密爲魏國公。李密的地位竟然超出翟讓之上了，這眞是始料未及的事。

閱讀心得

【第237篇】李密恩將仇報。

李密參加反抗隋朝的『楊玄感之亂』被通緝，四處大逃亡，最後投奔瓦崗寨的翟讓，屢次建立大功之後，翟讓自動讓位，奉李密爲首領。

翟讓的哥哥翟寬對此，頗不以爲然。他生氣的說：『天子的寶座，當然應該自己坐，你幹什麼發瘋讓給李密，你不願意坐，不如由哥哥我來當。』

翟寬本是一個性情粗愚的人，翟讓聽了，只是哈哈大笑，不以爲意。但是，這話傳到李密耳中，卻大不是滋味，對翟讓也起了猜嫌之心。

過了不久，又發生摩擦，有個隋朝的總管崔世樞從鄢陵來投降李密。翟讓竟把崔世樞偷偷關在私府之中，要他的財貨。從崔世樞身上撈不到油水，翟讓派人去搜查也沒找著，狠狠打了崔世樞八十大板。

翟讓又把長史房彥藻抓來盤問：『你上一次大破汝南，想必大得寶貨，怎麼只曉得獻給魏公李密，完全不孝敬我？你要明白，魏公是我扶立的，將來如何，尚未可知。』

房彥藻受到恐嚇，膽戰心驚，生怕翟讓將會對他不利，立刻就把這一段經過報告李密，並且邀得鄭頲一塊兒進言道：『翟讓貪暴愛財，剛愎自用，遲早會要對你不利，不如先下手爲強。』

李密心中對翟讓也早有不滿，但是，翟讓畢竟是他在走投無路時伸出

援手的恩人，而且在瓦崗群雄中威望不小。因而遲疑道：『安危未定，遽下毒手，何以昭告天下之人！』

鄭頲道：『此話雖然不錯，但是毒蛇咬到手，做爲一個壯士，只好忍痛把手腕砍斷，否則生命都不能保。一個人要能權衡輕重，萬一讓翟讓先走了一步棋，後悔就要來不及了。』

李密認爲鄭頲的話很有見地，立刻準備酒菜，邀請翟讓過來宴飲。等到人馬到齊了，李密道：『今日與各位達官喝酒，不需要多人侍候，只要留幾個支使的人就夠了。』說著，李密的手下都散去，翟讓的左右還留在身旁。

此時，李密的另一名大將站出來說話：『今天的天氣很冷，應該請翟司徒的手下喝酒。』

李密故意表示此中無詐，板著臉呵斥：『這要聽翟司徒的意思。』翟讓本來是一個胸無城府的人，立刻揮手道：『這個主意很好，你們統統去喝個痛快吧。』於是，翟讓的手下們，個個歡天喜地的去喝上一杯了。房間裡只有一個李密的壯士蔡建德，拿著刀子侍立一旁。

宴會尚未開始，李密先拿出一把良弓，對翟讓說：『我新覓得一把好弓箭，你試試看。』

翟讓接過弓箭，正張滿了弦，冷不防蔡建德拿著刀從後面砍來，翟讓猛地跌倒了桌前，聲若牛吼，跟著翟讓一塊來赴宴的幾個大將，也被殺掉了。

這時，外頭亂成一團，不知發生了什麼事，李密大聲的說：『各位不要慌張！我與大夥兒一塊起兵，本來是想要來鋤暴安良，沒有料到翟司徒專行暴虐，凌辱群僚，毫無上下之禮，所以我把他殺了，和各位沒有關係，請大家安心。』

翟讓死了，他的部下很是難過，想要求去。李密派人前去慰問，又把這些人留了下來。

瓦崗群雄表面上和以前一樣，然而大家心裡都對李密不以爲然。雖然翟讓有些殘忍，到底是他收留了李密，而且還自動讓位給李密，沒有料到李密恩將仇報，竟把他給殺了，不免對李密有了猜疑之心。果然，李密自此而後，連連失敗，最後投降唐朝，唐高祖拜爲光祿卿，封邢國公。

李密自認爲以前據有關東，牽制隋朝的大軍，使得唐高祖軍隊能夠輕取長安，奪得天下，功勞實在不小，因此對於僅僅封到上柱國，十分不滿。而且朝中大臣也不把他放在眼裡，使得李密鬱悶不樂，又想叛變。

於是，李密對唐高祖道：『臣蒙受恩寵，安坐京師，無法爲報，深以爲恥，請派臣收撫王世充。』

此時，王世充仍不肯投降，唐高祖就准了李密的要求。李密找了老部下賈閏甫同行。

他剛出發，朝中的臣子紛紛上奏，都說李密狡猾，不可靠，此去必然會叛變。

唐高祖又急頒詔書，命令李密返回長安。

『我若返回長安，必然被殺，不如在此豎立反旗。』李密對賈閏甫說出自己的計畫。

『不可！』賈閏甫冷冷的看了李密一眼道：『如今海內外分崩，人人都想當皇帝，誰肯聽受？況且從翟讓被殺之後，人人都說你棄恩忘本，哪有人願意束手聽你指揮？』

李密被賈閏甫說中心內的疤痕，氣得拿起刀來便要殺他，但卻被賈閏甫給逃脫掉了。李密依舊固執己見，堅持反叛，果然正如賈閏甫所料，在眾叛親離的情況下，李密中伏而亡。

我們中國人最講究飲水思源：『受人點滴，泉湧以報。』雖然翟讓也有不當之處，但是到底對李密有恩，李密竟然把翟讓給殺了，難怪為人所不齒，一敗塗地。

閱讀心得

【第238篇】

夏侯端殺馬饗士。

在唐朝掃滅群雄，統一宇內的過程中，出現了不少可歌可泣的故事。例如夏侯端就是一例。

夏侯端本來在隋朝當大理司直的官兒，和唐高祖李淵是好朋友，當李淵奉命討平河東時，乃請夏侯端做爲他的副手。

當時，煬帝遊幸江都，盜賊一天比一天更多，凡是稍有國家民族責任感的，無不深深憂慮。夏侯端對相人很有一套，就對李淵說：『現在金玉龍床搖動，皇帝寶座不安，天下方亂，能夠安定天下者，只有你明公一人。但是主上爲人猜忌殘忍，特別對姓李的懷有怨恨，你應該早日爲計。否則，遲早會被誅殺。』

李淵聽了夏侯端的話，深以爲然。以後，李淵接受兒子李世民的勸告，正式從太原起兵，反叛隋朝。

由於李淵與夏侯端是舊好，所以當李淵起事的消息傳開以後，夏侯端立刻被牽累，送到長安的監獄之中。一直等到李淵的大軍攻下了長安，夏侯端才被釋放。他二人久別重逢，而且是在這樣的狀況下，眞有說不出的欣喜，李淵把這位患難之交引入臥房之內，相談甚歡，授以秘書監的職位。

當時，李淵雖即位爲皇帝，然而天下仍然分崩離析，夏侯端自請帶兵

討平群雄，李淵就命他爲大將軍，持節爲河南道宣慰使，從澶水渡河，一路之上，安撫了二十餘州。可是到了譙州地方，因爲亳州刺史及汴州刺史同時投降王世充，夏侯端的歸路已被斬斷。

夏侯端爲人誠懇篤厚，很得部下的愛戴，所以雖然彈盡援絕，糧食也吃光了，他手下的二千人，依舊捨不得離去。夏侯端度量情勢，知道大勢絕難挽回，盤著腿坐在草澤之中，命令部下把馬殺了，讓大家飽餐一頓。殺馬饗士之後，夏侯端沉痛的說：『現在王師已敗，各位的鄉里，都已淪入賊手，感謝各位眷戀同事之情，不忍心捨我而去。我奉有王命在身，無論如何，不能從敵。各位家中還有妻子、兒女，用不著效法我，你們可以拿著我的腦袋，歸降於賊，必然可以大獲富貴。』

夏侯端他一邊說，圍著他的二千士兵都窸窸窣窣在哽咽！到了後來，更有那忍不住的放聲大哭，怎麼可能有人狠得下心去殺夏侯端，拿他的首級去求富貴呢！

夏侯端眼看無人動手，長嘆一口氣道：『唉！你們不忍心殺我，還是我自個兒解決吧。』說著，拔出佩刀，就往脖子上抹。

在這千鈞一髮的時刻，二千名士兵一躍而起，大夥七手八脚，抱住了夏侯端的腿，制止他輕生，然後異口同聲道：『公對於唐家，並沒有親屬的關係，你也不姓李，只是因爲一腔忠義，不辭於死，我等與公共事如此久，共歷艱危，甘苦共嘗，哪有殺害我公而取富貴的道理呢！』

夏侯端固執的不讓士兵們同行，士兵們卻更固執的非要追隨到底。他們在又累又餓的情況之下支持了五天，餓死了十分之三、四；禍不單行，中途遇到賊兵，又損失了大半弟兄；到最後，只剩下區區五十二人，狼狽東行。

因爲沒有糧食，他們只有採些路邊的野豆充飢果腹。即使在這樣的處境之下，夏侯端的手中，仍時時刻刻拿著李淵交給他的持節，不管睡覺和吃飯都放在身邊。他準備效法蘇武，蘇武即使在北海，手中也始終離不開那支代表漢朝使者的漢節。

夏侯端拿著唐節道：『平生不知這兒乃我喪命之地，然我受國恩，爲國犧牲，理所當然，我當抱此一節，與之俱殞。』

由於夏侯端的確是個不可多得的人才，因此王世充極力的爭取他。王世充派來一個使者求見夏侯端，送了一件衣服，並且帶來任命他爲淮南郡公及吏部尚書的官書。

夏侯端板著臉孔教訓使者道：『夏侯端乃天子大使，豈能接受王世充的官職？除非斬了我的頭去見他，否則休想要我屈辱的投降賊人。』說著，取了蠟燭上的火把書信給燒了，又拿出寶劍把王世充的衣服戳成碎碎片片，嚇得王世充的使者抱頭鼠竄。

斥退王世充派遣的使者以後，夏侯端及其忠義的部下準備西歸，返回長安。爲著逃避敵人，他們選擇了險峻的山路。山中雜草叢生，根本沒有道路可言，攀援著樹枝，砍斷著荊棘，吃力的向前邁進，沒有人抱怨，也沒有人叫苦。他們知道只要一回頭，答應王世充，馬上可以舒舒服服的睡覺，痛痛快快的吃喝，享不盡的榮華富貴。但是爲著盡忠，寧可走上這條艱辛的路。

跟著夏侯端的五十二個人，有的墜崖，有的溺水，也有的被猛獸吃到肚子裡去了。最後生還的幾個人，都已鬚髮禿落，狼狽不堪，三分像人，七分像鬼。夏侯端見到了唐高祖，沒有一句誇耀自己的話，只是慚愧的表示『無功』。在他的心目之中，爲國盡大忠乃爲應該之事，不值一提。以後這件事漸漸傳開來，人們都欽佩他的忠義。

夏侯端當時並不能預知唐朝將能統一天下，他只是爲著盡忠，誓不爲王世充所用，就是爲此拚了老命也甘心。

閱讀心得

【第239篇】

李世民得罪後宮妃嬪。

唐高祖李淵的皇后竇皇后一共生了四個兒子：建成、世民、玄霸、元吉，其中第三個兒子玄霸很早就去世了。建成和元吉在唐朝開國時當然也有戰功，但是打敗群雄，大唐帝國的天下，可以說絕大部分都是李世民打下的江山。

正因爲從晉陽起兵以來，大部分都是秦王李世民的功勞，所以李淵曾經不止一次對李世民說：『這件大事如果辦成，天下都是你打下來的，應當立你爲太子。』

但是，從秦漢以來傳下的規矩，向來是由嫡長子做爲太子。所以，李世民再三拜謝，不肯答應。於是唐高祖立了長子建成爲太子。

雖然李世民辭讓太子，謙虛的不肯接受。然而，做爲太子的李建成，不免對這個功勞蓋世的老二李世民起了嫉妒之心。

太子的老師，禮部尚書李綱很不滿意太子建成猜忌世民，屢次勸誡不聽，一氣之下，準備告老還鄉。

唐高祖李淵很不開心道：『你以前爲盜賊潘仁當長史，現在我請你爲尚書，哪一點虧待你，而且正要你好好輔導建成，怎麼可以一心求去呢？』

李綱在地上磕了一個響頭道：『潘仁是一個土匪盜賊，他每回兇性大

發，想要胡亂殺人，我只要一勸，他就罷手了，因此，我無愧於長史一職。陛下你為創業的明主，臣不才，每回上諫太子，說了半天等於沒說，臣何敢久留於尚書省，又何敢久辱於東宮（東宮為太子所居之地）？』

李淵道：『我知道你是一個正直的人，請你勉強留下來吧。』

李綱留下來了，但是屢次上書諫太子飲食無節，聽信讒言，離疏骨肉。太子相當不高興，李綱也十分火大，堅稱自己老病，終於辭職。

李綱對建成很不滿意，李淵的妃嬪們卻十分喜歡建成，常常在李淵面前為他美言。李淵晚年多內寵，這些妃嬪一共為他生了二十個兒子。建成因為恐懼世民會要奪他的太子位置，與四弟元吉二人合謀，巴結妃嬪，諂媚賄賂，希望妃嬪們在父王面前多講幾句動聽的話。

這個時候，東宮諸王，以及後宮妃嬪的親戚，橫行於長安市上，爲非作歹，地方官吏也不敢詰問他們。只有李世民不齒於伺候妃嬪，妃嬪們爭相在李淵面前，道盡建成和元吉之長，世民之短。

李世民平定東都洛陽之後，李淵從長安派了幾個貴妃到洛陽來，審閱選擇隋朝後宮的佳麗，以及隋朝政府中的府庫珍物。

貴妃等央求世民私下送她們一些金銀寶貨，也有的代向自己娘家親屬求個一官半職的。李世民一概不許，而且訓了她們一頓：『寶貨都已經登記在簿籍之上，不能隨便亂給；官吏應當授給有功的人，更不能濫授。』李世民講得合情入理，可是在這些妃嬪心目中，一大堆閃熠的寶貨，拿走一點又有什麼關係？只要世民不說，誰也不知道原來到底有多少。至於走裙帶關係求個一官半職，更是常有之事，李世民也未免太不通人情，所以，妃嬪們對世民更加怨恨了。

過了不久，李世民因爲淮安王李神通對國有功，給了他幾十頃田地。後來唐高祖愛寵張婕妤，代向父親要求賜田，高祖就親手書寫了詔敕，把這幾十頃田地又賜給了張父。

李神通認爲李世民答應在先，堅持不願把這塊美田讓出，張婕妤立刻跑去向高祖哭訴：『皇上賜給我父親的田地，被秦王世民奪去交給李神通。』

高祖一聽，不禁勃然大怒，把李世民叫來狠狠罵了一頓，生氣的說：『我手敕的詔命，還不如你的話管用。』並且對裴寂慨然嘆息道：『我這一個兒子，長期典兵在外，被一些無聊的讀書人帶壞了，不懂得尊敬父親，不再是從前那個乖兒子了。』

除了張婕妤十分囂張以外，另外一個尹德妃的氣焰也是十分高張。尹德妃的父親阿鼠仗著女兒，在外頭以驕橫出名。

阿鼠眼看建成、元吉對尹德妃都十分籠絡，只有李世民完全不把她放在眼裡，決心耍個流氓，讓世民知道他的不一樣。

有一天，秦王府屬杜如晦經過阿鼠家門口，阿鼠命令數名家僮不由分說把杜如晦扯下馬來，莫名其妙的就是一頓痛毆，而且把杜如晦的一根指頭給折斷了。臨了還丟下一句話：『你是什麼人，竟然敢經過我家門口而不下馬？』

打了杜如晦之後，阿鼠惟恐李世民會向高祖報告，搶先一步，惡人先告狀，要他的女兒尹德妃對唐高祖說：『秦王世民的左右，跑到我家裡去拳打腳踢找麻煩。』

高祖十分震驚，馬上又把世民找來問話：『我的妃嬪，都被你的左右欺負，那麼，一般小民還用說嗎？』

儘管世民一再辯白，高祖仍然不相信。因爲按照表面看來，的確世民是有欺負人的本錢，哪兒可能被侵凌呢？李世民很清楚如何收買這些妃嬪小人；但是，他不願意爲私害公，因而堅不行賄。

閱讀心得

【第240篇】

楊文幹之變。

秦王李世民功在國家，不免爲太子建成所嫉妒。世民爲人正直，不願意向妃嬪們賄賂，因此妃嬪們十分不滿世民。

後來，妃嬪們更聯合陣線，一塊兒去向唐高祖告狀：『海內平安無事，都是陛下的大功勞，陛下年歲已大，春秋已高，正應由我等伺候皇上，讓陛下有所娛樂。而秦王卻憎恨妾等，只待陛下千秋萬歲以後，妾等母子必然不爲秦王所寬容。』說著，個個都在掉眼淚，只聽得一片嚶泣之聲。

妃嬪們又說：『皇太子建成仁孝，如果陛下把我等母子託屬給他，妾等必獲保全。』

從此以後，高祖就逐漸疏離李世民，而與太子建成和老四元吉的關係日近。但是元吉仍然不很放心。

有一天，齊王元吉勸太子建成，一不做二不休，去把世民給幹了，並且拍著胸脯道：『我願意爲你親手殺了世民。』元吉說幹就幹，當世民到元吉府上時，元吉把伏護軍宇文寶偷偷藏在臥室裡面，準備刺殺世民。太子建成的性情比較仁厚，他不答應元吉遽下毒手。元吉哼了一聲道：『我是爲你著想。其實，這件事和我又有什麼關係！眞是！』

建成雖然一度阻止元吉行兇，可是世民在旁，總有芒刺在背，坐立不

楊
楊
楊
楊

安之感。雖然妃嬪們一再在高祖面前破壞世民，可是李世民畢竟是有大功勞。高祖心裡當然還是疼愛這個二兒子。況且，朝廷中的文武大臣，也很推崇李世民，更叫他這個當太子的不是滋味。

爲著鞏固自己的勢力，建成擅自招募長安及四方勇士二千餘人做爲東宮衛士，分別屯衛左右長林門，號稱爲長林兵，又命令可達志去找能夠衝鋒陷陣的三百個精銳騎兵，用來防衛東宮的安全。

在古代的君主專制時代，因爲皇帝具有最大的權威，因此皇帝與太子之間，時常彼此猜疑，不能和民間的父子一般和睦相處，歷來太子等不及父皇去世，搶先一步登基的大有人在。所以，當高祖接到了密報，說是建成未得允許，竟然擅自招募兵士，非常的生氣，把太子建成罵了一頓，並且把幫太子辦事的可達志，流放到巂州。

太子建成私募壯士的事情被高祖發現之後，益發加強建成去掉世民的決心。

爲著達到心願，太子建成與曾經在東宮做過宿衛，與建成交情深厚的慶州都督楊文幹商議。由楊文幹在外頭繼續招募壯士，偷偷送入長安。因爲如果要發動任何陰謀，手下沒有可用的死士是絕對不成的。

不久，高祖準備離開長安，暫時到仁智宮去，命令世民及元吉隨行，太子建成留守在長安宮中。

建成心想：這是一個大好時機，他人留在長安，高祖及世民都不會料到他有所行動。因此，臨行之前，建成悄悄的拉住元吉，要他在半途之中就近圖謀，並且鄭重的對元吉說：『安危之計，決在今歲。』

另外一方面，建成命令郎將朱煥、校尉橋公山以甲兩人，快馬加鞭趕到慶州，要楊文幹配合起兵。以表裡相合，一舉消滅李世民。

誰知這兩個傳遞祕密情報的信差，走到了豳州，愈想愈覺得心慌！朱煥與山以甲商量道：太子建成此次萬一成功，他二人當然是大功一件；可是如果失敗呢？協助造反可是死罪，腦袋都要搬家的。此事太過冒險，不能拿自個兒的生命開玩笑。

所以他二人前去叩見高祖，把太子建成準備與慶州都督楊文幹聯合造反的事，一五一十的說得清清楚楚。

『果有此事？』高祖聽了，勃然作色。不過還不太敢相信建成有這樣大的膽子。

正在這個時候，又有一個寧州人杜鳳前來求見，密報楊文幹與建成謀反的情狀。這下，高祖不能不相信了。

高祖立刻親手寫草詔，命令建成立刻到行在來見他。（行在，就是天子出外巡幸所在的地點。）

正在宮中等待好消息的太子建成，接到詔書，嚇得臉色死白，不知究該如何是好。

太子舍人徐師謩勸他，不如佔據長安，正式發動政變。但是建成考慮再三，仍然不敢貿然起事。因爲如此一來，等於公然抗旨正式向父親開戰了。

詹事主簿趙弘智則勸太子摒去隨從，貶抑減損隨行車輛，及早請罪。太子建成接受了後者的建議，向仁智宮出發，走不到六十里，命令隨行官屬駐紮在毛鴻賓堡，他一個人帶領了十餘人馬前往叩頭謝罪。他見到了高祖，哭得死去活來，幾乎要爲之氣絕。但是，高祖仍然極爲不諒解，把太子建成關了起來，送給他吃的食物，也是極爲粗劣給犯人吃的東西。

此時，楊文幹接到太子建成被捕的消息，在慶州發動亂事。高祖把世民叫來商量對策。世民說：『文幹這個卑鄙幼稚的小人，大膽狂逆，料想已爲州府官司拿捕了。』

『不然，』高祖搖頭道：『文幹叛變的事與建成有關，恐怕附應他的人不少，這件事還是要交給你辦才行。等你這趟回來，我將立你爲太子。

我不能效法隋文帝殺掉自己的兒子，當封建成爲蜀王。蜀兵脆弱，他日建成如果能與你共事，你要成全他。不然以你的才能，你奪去他的地位也很容易。』

閱讀心得

【第241篇】

一場激烈的辯論賽。

太子建成因爲猜忌功高業大的老二李世民，勾結慶州都督楊文幹造反，被唐高祖發現，勃然大怒，派遣李世民前往平亂，並且答允李世民，平亂之後，改封世民爲太子。

等到李世民出發之後，老四元吉及高祖的妃嬪們輪流爲太子建成求情，高祖心腸又軟下來，遂把太子這次的政變，歸罪於太子左右的人。經過楊文幹之變，兄弟之間的芥蒂，更深一層了。

就在這一年，高祖武德七年，北方的突厥，屢次侵犯關中，使得唐朝政府大爲頭痛。

隋唐時代，北方最爲強大的部族是突厥。隋文帝採用離間政策，使突厥分爲東西兩部。隋末，突厥強盛起來，東突厥佔領大漠南北之地，西突厥據有蔥嶺東西之地。

有人向唐高祖建議：『突厥之所以屢次侵犯關中，乃是因爲我們的子女、金銀、玉帛都在長安的緣故。如果我們把長安用火燒光，只剩下一片焦土，那麼，胡人的騷擾自然平息。』

焚燒國都，實在是一個瘋狂的建議。但是，高祖被突厥整昏了頭，竟然贊許這一個計畫。而且，積極的派遣侍郎宇文士及穿過南山，出商州，

直至樊鄧，尋覓新的建都地點，準備搬家。

太子建成和元吉剛剛吃過高祖的排頭，爲了迎合父親的心意，一個勁兒讚美遷都計畫。大臣蕭瑀等人明明知道這一個計畫不高明，卻也不敢公開表示反對。

只有秦王李世民，爲著國家安危，不顧一切的上殿勸諫道：『戎狄邊患，自古有之。陛下的聖武龍興，統一中原，精兵百萬，所向無敵，何必要因爲胡寇騷擾邊境，立刻遷都躲避。這種懦弱的舉動，將使四海爲之蒙羞，爲千秋萬世後的人們所嘲笑。』這番話，說得慷慨激昂，有聲有色。

站在一旁的太子建成，聽到『精兵百萬，所向無敵』，心中不禁大起反感。因爲唐朝之所以能夠平定天下，完全都是李世民率領百萬大軍，東征西討而得到的。

李世民接著說：『以前，霍去病以一個漢朝朝廷的將領，還能發下志願，平定匈奴；我乃爲唐朝天子家中一員，更應爲國効力，請陛下給我數年的時間，我發誓把突厥首領頡利可汗的腦袋砍了來見父王。如果我做不到，那麼，我們到那時再遷都還來得及。』

霍去病是我國在漢朝時代的民族英雄。他曾打敗匈奴，建立大功，漢武帝要爲他建立一座大房舍以犒賞，霍去病拒絕了。他說：『匈奴未滅，無以家爲也。』這句豪氣萬千的回答，成爲千古名言。

高祖見到世民許下宏願，大爲讚賞，頻頻點頭說：『好！』

建成一看，又讓老二搶了風頭，立刻也引經據典，講一段歷史。他哼了一聲，嘲弄的說：『以前啊，有一個叫樊噲的，想要用十萬的兵橫行於匈奴之中，秦王世民之言，倒是挺相似的。』

在古代，每一個讀書人都要熟讀歷史，因爲中國人本來就是一個讀史和愛史的民族，人與人之間平時對話，也常拿歷史上的事爲例，如果不曉得，不免被嘲笑。建成的這個暗諷，精通歷史的李世民，以及高祖本人，當然都清楚。

樊噲這段典故，是出在漢惠帝三年的事：

當時，漢高祖去世，軟弱的惠帝即位，匈奴的冒頓單于知道中國疲弱，寫了一封信給呂后，信中寫得相當猥褻傲慢：『你死了丈夫，剛好我的太太也去世了，兩個君主都悶悶不樂，非常寂寞，願以我有的，換取你所沒有的。』

呂后接到了信，堂堂皇太后受此侮辱，氣得兩眼冒金星，立刻召集將相大臣，並且準備把匈奴的使者殺掉洩憤。同時，揮軍出兵攻打匈奴。

大臣樊噲站出來，拍著胸脯道：『臣願得十萬人馬，橫行於匈奴陣營之中。』

中郎將季布大步跨前，朗聲道：『噲可斬也，以前匈奴圍高祖於平城，樊噲當時被任命爲上將軍，不能夠爲高祖解圍。現在國勢不比當年，樊噲還妄想用十萬兵甲攻打匈奴，簡直是開玩笑。況且夷狄本來是禽獸，聽到禽獸說好話不足以喜，聽到禽獸惡言，也不必發怒。』

呂后聽了季布的話，氣雖未消，可是轉念一想，如今匈奴強盛，漢朝拿什麼和人家去拚？只有忍氣吞聲寫了一封回信，說是自己容貌已衰，配不上冒頓單于。

太子建成舉這一個例子，目的是諷刺秦王世民自不量力，與樊噲一般說大話。

世民懶得與建成分辯，只是堅持道：『現在與漢初形勢各異，用兵不同，樊噲那個小子，怎能相比？我相信不出十年，必能平定漠北，絕非虛言。』

唐高祖當然清楚世民的才幹，絕非樊噲可比。因此，停止了遷都計畫。

太子建成又敗下風，惱羞成怒之下，再與高祖的妃嬪聯合進讒言：『突厥雖然屢次爲邊患，其實，只要稍加賄賂即可退兵。秦王世民口上說的好聽，其實，不過假借禦寇之名，實際上是想總攬兵權，進行篡奪的陰謀。』

閱讀心得

【第242篇】李世民的離間計。

武德七年的七月裡，唐高祖到城南郊外去打獵，太子建成、秦王世民及齊王元吉三個兒子隨行，高祖命令他們三人騎馬射箭，以定勝負。

太子建成養了一匹胡馬，高大肥壯，任何人只要一騎上去，牠一定蹶起屁股把人跌死。建成不懷好意的把馬牽了出來，對世民說：『你不是向來喜歡騎馬，而且以馬術精湛引以爲傲，我這一匹可是眞正難得一見的駿馬，牠縱身一躍，可以跳過數丈寬的溪澗，你不妨試一試。』

李世民不發一言，跳上馬背，往前追趕野鹿。這匹胡馬一個弓背，立刻把世民顛仆下來。但是世民的彈性特佳，竟然沒有翻倒在地，輕身一躍之後，跳離馬鞍，挺立在數步之外，好像在表演輕功。

旁人看著倒提一口氣，李世民卻一躍上馬，又被馬摔下，再度站得好好的。就是這樣，胡馬一共三次準備置世民於死地，世民又三次躍立於數步之外。

聰明的李世民，當然曉得這是誰的陰謀，但是他天性不服輸，明明知道胡馬危險，仍然以不入虎穴，焉得虎子的精神去冒險。三次冒險以後，他憤慨的說：『有人想用這種卑鄙的方法來除掉我。可惜啊！死生有命。這種小玩意，哪兒能夠傷害到我？』

太子建成眼看頹劣的胡馬沒法整死李世民，怒由心生，又指使高祖的妃嬪去向高祖進讒言：『陛下，秦王世民對人說，自有天命，應當爲天下主，不能隨隨便便的死掉。』

自古當皇帝的最怕有人篡位，所以高祖又火冒三丈，疑心世民不軌，他厲聲的責備道：『古來天子自有天命，非智力可求，你爲何如此瘋狂的想當天子！』

世民知道，這又是建成和元吉在造謠，他難過的摘下衣冠，趴在地上，不斷叩頭，請求父皇派人調查一個水落石出。

不論世民如何哀求，高祖始終鐵青著臉，抿緊了嘴，對他十分不諒解。正在這時，外頭有官員前來通報，說是突厥入寇。一聞此言，高祖立刻趨向前來，幫忙世民穿衣戴帽，要他去抵抗強敵。高祖每回都是如此，遇到盜賊，立刻命令世民去討伐，等到事平以後，受到妃嬪挑撥，又疑心世民兵權太大。可是，孝順的世民並不因此懷恨，也不會因此而遷怒。

突厥兵力強盛，就是高祖當初自太原起兵，也曾陪著笑臉，帶著厚禮，去央求突厥借兵。難怪高祖怕死了突厥兵。

到了八月初，突厥的頡利可汗與姪兒突利可汗，聯合率領大軍入寇，直逼幷州，首都長安緊急戒嚴。秦王世民引兵抗拒，不幸關中連日豪雨，糧運中斷，士卒疲憊，帶來的器械也都生銹了，朝廷及軍中都深以爲憂。

李世民的軍隊與敵軍在豳州地方相遇。忽然，城西又殺出了一萬人馬的突厥軍隊，設陣在五隴阪。將士們大爲震恐，尚未交手，軍心已經動搖。

世民對齊王元吉說：『如今大批虜騎前來挑戰，我們可不能表示膽怯，應當與他們好好打一仗，你能和我一塊去嗎？』

齊王元吉屢次勾結太子建成，設計除掉世民，好像很有辦法。這會兒與世民一同前來抗敵，正是立功建威的好時機啊！可是，眞正到了戰場上，他又畏縮不前，一步都不肯再往前挪。他說：『現在敵人聲勢如此浩大，我們怎可輕易出發，萬一戰場失利，後悔也來不及了。』

李世民早就知道元吉沒有勇氣，他冷笑道：『你不敢去，我一個人去，你留在此地觀看吧！』

於是，英勇的世民帶著少數人馬，直闖敵人的營陣，找到了頡利可汗，大聲的說：『我國與可汗訂友好盟約，你爲什麼違背誓約深入我地？我是秦王，可汗能鬥，你就單獨出來和我鬥，你若要群打群鬥，我只帶了一百人馬來和你拚。』

頡利可汗不置可否，只是笑一笑。

世民又再往前走，派人對突利可汗揚言道：『你以前與我訂立過盟約，說是彼此之間有急相救，如今你卻引兵相攻，未免太不顧念香火之情了。』

這時，李世民再往前走，將要渡過渭水。頡利可汗看到他如此大膽輕闖陣營已經覺得不對勁，又聽到他與突利可汗說什麼過去結盟的香火之情，疑心李世民恐怕與突利可汗有所計謀，準備不利於己。於是，頡利可汗立刻派人阻止世民前進，並且好言勸道：『秦王不必渡過此河，我此番前來，沒有其他的用意，不過是想要與王重申及加強盟約罷了。』

同時，爲著表示決心，頡利可汗製造了一個離間計，使兩個突厥可汗分裂，讓唐朝躲過了一場京師可能淪陷的浩劫。智勇雙全的李世民，利用頡利可汗與突利可汗間的猜嫌，眞可謂外交上的大勝仗。

閱讀心得

【第243篇】

陳叔達不吃葡萄。

雖然頡利可汗往後退了兵，危機並沒有眞正解決，只是暫緩火燒眉毛之急。

過了幾天，雨勢更猛，世民對諸將說：『虜敵所依靠的，不過是弓矢罷了，現在多日積雨，製造弓弦用的膠質都被雨淋得溶化鬆弛，弓既然不能用，他們就如同飛鳥折翼，我們住的不是帳篷，屋子裡頭氣候比較乾燥，刀槊一定依舊鋒利，若不趁此良機，將待何時？』

於是，李世民半夜摸黑，率領大軍，冒雨前進，突厥軍大吃一驚。世民派遣使者，去向突利可汗說以利害，突利可汗決定不出兵了。

頡利可汗發現唐朝軍隊偷襲，十分生氣，更懊悔當初誤中李世民之計，把軍隊往後撤退。想要開戰，突利可汗卻不許。最後，突利可汗自己請求與世民結爲兄弟，兩國結盟，突厥撤軍。

如果要打硬仗，此時的唐朝還無法打過突厥。可是，憑著李世民的機智勇敢，化干戈爲玉帛，表現了過人的才華，唐朝上下衆口交讚，更顯得太子建成與齊王元吉皆是無能之輩。

武德九年六月裡一天傍晚，建成邀請世民過來喝酒。世民知道這頓飯可不是好吃的，兄長請客，卻也不能不赴此鴻門宴。果然，建成悄悄在酒

裡下了毒藥。他心想：世民福大命大，胡馬摔不死，突厥也沒有結束他的性命，反而因此立了大功回來。喝下毒酒，總該去向閻王爺報到了吧。

當晚，世民被灌了不少酒，席中，突然心臟絞痛，面色死白，一連吐了數升鮮血，嚇得淮安王李神通趕緊扶著他回到所居住的西宮。所幸世民的身體強壯，嘔吐之後，竟然還是好好的活著。

消息傳到唐高祖的耳朵中，他應該心裡有數，卻又不便說破。高祖到西宮探視世民病情以後，對太子建成說：『秦王向來沒有酒量，以後絕不可以晚上再找他喝酒。』

高祖擔心，此次不成，下一回遲早還要出事，因而對世民嘆了一口氣道：『首建大謀，削平海內，這一切都是你的功勞。我本想立你爲太子，你堅持不肯。同時，建成年長，當太子也有一段日子了，我也不忍心奪他太子之位。我看你們兄弟二人似乎水火不容，同在京師，必有糾紛競爭。不如讓你回到洛陽，潼關以東之地由你掌管，我讓你自建天子的旌旗。』

世民聽了，難過得流下眼淚，因爲太子建成意圖謀害，反而要讓他離開京城，想想眞是委屈萬分。所以，他一再流淚涕泣，表示很不願意遠離父親大人膝下。

可是高祖認爲：這是解決兄弟不合兩全其美的辦法。堅持道：『天下都是一家人，東都洛陽，西都長安，距離十分近，我希望你即刻前往，不要再悲傷了。』

有道是父命難違，何況這個父親不是別人，正是當今的皇上。李世民縱使有滿心的不願意，也只有悄悄回到秦王府，準備收拾行裝，前往東都洛陽了。

沒有料到中途又變了卦。原來太子建成與齊王元吉彼此商議道：『秦王若到東都洛陽，有土地，有甲兵，他又會打仗，將來的局面將更無法控制，還不如把他留在長安，比較容易控制。』

於是，建成派人上了一個奏疏給高祖：『秦王左右的人，聽說將要前往洛陽，莫不雀躍萬分！看他們的志趣，這一走，恐怕不準備再回來囉。』言下之意，李世民將會以東都爲根據地進行造反。

高祖左右的妃嬪，也在高祖面前搬弄是非，把派遣世民去洛陽當成是一件危險的事。耳根子軟的高祖，又改變了主意，不讓世民去洛陽。

建成和元吉及後宮的妃嬪，日日夜夜在高祖面前批評秦王世民。久而久之，高祖也相信這些小人所說的讒言，準備懲治世民。

有一位忠臣陳叔達站出來說話了。他說：『秦王有大功於天下，不可以罷黜。而且他性情剛烈，萬一受到不合理的挫折，恐怕他會不勝憂憤，或者會因而發生重病，有所不測。到那時候，陛下後悔也來不及了。』因爲陳叔達的上諫，才阻止了高祖治罪世民。

陳叔達是陳朝宣帝的第十六個兒子，頗有才學，善於辯論，每回上奏，朝臣們都屏息恭聽。武德五年時，他被封爲江國公，得以在御前賜食。（唐朝皇帝很喜歡請人吃東西，有時還會把好吃的送到臣子家裡去。） 陳叔達拿了一串葡萄，卻一直沒有吃。

高祖看著好生奇怪，問他爲什麼不吃，是不是不喜歡。

陳叔達恭恭敬敬回答道：『我的老母親患有口乾症，聽人家說吃葡萄最好。可是葡萄是西域的特產，十分名貴，找了許久仍然找不著。所以，這串葡萄我準備帶回去孝敬母親。』

高祖聽了，十分感動，賜給陳叔達不少寶物。

由於陳叔達仗義執言，使得高祖免除世民的責罰。

閱讀心得

【第244篇】太子建成展開挖角戰。

太子建成及元吉屢次謀害世民不成之後，齊王元吉跑到唐高祖那兒撒嬌，要求父親做主，殺掉秦王世民。

高祖不答應：『他對天下有大功勞，又沒有什麼顯著的罪狀，我拿什麼藉口把他給殺了？』

『誰說沒有罪狀呢？』元吉著急的分辯：『想當初秦王世民初抵洛陽，到處散播錢帛，用來樹立私人恩惠。而且，再三違背敕命，這不是造反還是什麼？應該馬上把他殺掉，還管什麼藉口不藉口的。』

我們前面説過，李世民平定東都洛陽之後，正是因爲不肯散播錢財給高祖的妃嬪，又不願意用公家的財貨樹立個人的威望，爲小人們所痛恨，如今卻被元吉以此理由告狀，這叫欲加之罪，何患無辭。

高祖最後還是沒有答應元吉的要求。他不肯把李世民處死。這一個消息傳到秦王府，大家都忐忑不安，既憂愁又恐懼，不曉得何時會有大禍臨頭。

建成與元吉日夜商量如何把世民除去，他倆一致以爲：秦王府中驍將林立，對付不易，應該設法引誘過來才好。他們第一個意圖拉攏的，乃是尉遲敬德。

尉遲敬德於隋朝大業末年，在高陽地方從軍。討捕群賊，以勇武著稱，官至朝散大夫，後來成爲反隋將軍劉武周部下。唐朝建國後，投降李世民。後來，劉武周的部下降將接二連三的背叛唐朝，唐朝的將領都認爲尉遲敬德早晚也會反叛，因此把他囚在軍牢之中。行臺左僕射屈突通對世民說：『敬德歸附國家未久，此人勇健非常，在牢中關久了，又被猜疑，必然心生怨恨，留下此人恐生禍端，請立刻把他殺掉。』

李世民不同意這個看法。他說：『依我之見，不同於此，敬德如果懷著背叛之心，早就叛變，不會留到今日。』並且派人把尉遲敬德從牢中解出，賜給他許多珠寶，好言安慰：『大丈夫彼此以意氣相期許，希望你不要因爲別人小小的懷疑而介意。我不願意聽信讒言，殺害像你這樣的忠良之士，你要體諒我的苦心，這兒有一點東西送給你，表達我們曾經共事的一段情誼。』

就在這一天，尉遲敬德陪同李世民出外打獵，剛好碰到王世充前來攻擊。王世充帶領數萬騎兵前來突襲，派遣大將軍單雄信攻擊李世民，被尉遲敬德發現了，跳上馬背，一聲大呼，把單雄信刺下馬來。王世充的軍隊見此大吃一驚，紛紛後退。

然後，尉遲敬德護送世民衝出賊圍，而且捕獲王世充手下六千名士兵。世民好生高興，笑著對敬德說：『衆人都說你必定叛變，老天爺保佑我，使我明白你的忠心，可是沒有想到你這麼快就證明了這一點。』立刻賞他一箱金銀，從此對尉遲敬德恩寵有加。

敬德有一個大本領，善於閃避矟（矟同槊字，是古代一種長一丈八尺的兵器）。他每回單槍匹馬闖入敵陣，不論對方如何攢刺，終不能傷害到他一根寒毛。而且還能把對方手中的矟奪取過來，還送給對方狠狠的一刀。

齊王元吉也以擅長在馬上刺矟著名，他聽說尉遲敬德的本事之後，表示十分輕視，而且準備親自去試他一試。

二人比武開始，齊王元吉命敬德把矟上的刃除掉，彼此只用光竿子過招，不必玩眞的。

尉遲敬德一抱拳道：『縱使矟上加刃，也不能傷害到我，齊王的刃不必除，不過，我的刃當然應該拿掉。』

接著，一場緊張刺激的比賽開始了！齊王元吉用帶有刃的矟去對抗敬德的空竿子。可是在這種情況之下，元吉竟然無論左刺右攢，根本無法擊中敬德，敬德一閃一挪，輕輕鬆鬆就躲過了利刃。

世民在旁邊看得好樂，他問元吉：『奪矟，避矟，哪一種比較難？』

『當然是奪矟難。』敬德在馬上回答。

世民接著說：『那你去把齊王手中的矟奪過來。』

『奪我的矟，哪有這樣容易！』齊王元吉握緊了矟，直直的往敬德刺來。

說也奇怪，敬德身子一偏，躲過了迎面而來的一刃，接著一把就握住了元吉的矟，硬是給搶了過來。元吉大吃一驚，換上了一把新矟，居然又被敬德奪走。

如此，一共三回，元吉手中的兵器，被徒手的敬德搶走了，元吉不得不甘拜下風。可是心中大不是滋味，深以爲恥。

因爲有這麼一段過節在，所以當建成和元吉商量挖角時，第一個考慮的人選就是尉遲敬德。他二人祕密的送了他一車子的金器與銀器，並且表示要封他爲左二副護軍的官職。又寫了一封信說：『願煩長者的眷顧，與你厚結牢固的交情。』

閱讀心得

閱讀心得

歷代・西元對照表

朝　　代	起迄時間
五帝	西元前2698年～西元前2184年
夏	西元前2183年～西元前1752年
商	西元前1751年～西元前1123年
西周	西元前1122年～西元前 771年
春秋戰國(東周)	西元前 770年～西元前 222年
秦	西元前 221年～西元前 207年
西漢	西元前 206年～西元 8年
新	西元 9年～西元 24年
東漢	西元 25年～西元 219年
魏(三國)	西元 220年～西元 264元
晉	西元 265年～西元 419年
南北朝	西元 420年～西元 588年
隋	西元 589年～西元 617年
唐	西元 618年～西元 906年
五代	西元 907年～西元 959年
北宋	西元 960年～西元 1126年
南宋	西元 1127年～西元 1276年
元	西元 1277年～西元 1367年
明	西元 1368年～西元 1643年
清	西元 1644年～西元 1911年
中華民國	西元 1912年

國家圖書館出版品預行編目資料

全新吳姐姐講歷史故事. 10. 隋代－唐代/吳涵碧著. --初版.--臺北市；皇冠，1995〔民84〕
面；公分（皇冠叢書；第2476種）
ISBN 978-957-33-1220-8（平裝）
1. 中國歷史

610.9　　84006885

皇冠叢書第2476種
第十集【隋代－唐代】
全新吳姐姐講歷史故事〔注音本〕
作　者—吳涵碧
繪　圖—劉建志
發 行 人—平雲
出版發行—皇冠文化出版有限公司
台北市敦化北路120巷50號
電話◎02-27168888
郵撥帳號◎15261516號
皇冠出版社(香港)有限公司
香港銅鑼灣道180號百樂商業中心
19字樓1903室
電話◎2529-1778　傳真◎2527-0904
印　務—林佳燕
校　對—皇冠校對組
著作完成日期—1992年01月01日
香港發行日期—1995年09月25日
初版一刷日期—1995年10月01日
初版二十九刷日期—2021年05月
法律顧問—王惠光律師
有著作權・翻印必究
如有破損或裝訂錯誤，請寄回本社更換
讀者服務傳真專線◎02-27150507
電腦編號◎350010
ISBN◎978-957-33-1220-8
Printed in Taiwan
本書定價◎新台幣150元/港幣45元

• 皇冠讀樂網：www.crown.com.tw
• 皇冠Facebook：www. facebook.com/crownbook
• 皇冠Instagram：www.instagram.com/crownbook1954/
• 小王子的編輯夢：crownbook.pixnet.net/blog